Collection
PR
dirige

Série
PR

C000203144

Thérèse
Desqueyroux
(1927)

FRANÇOIS MAURIAC

Résumé
Personnages
Thèmes

MAURICE MAUCUER
agrégé des lettres

HATIER

Dans la collection « Profil », titres à consulter dans le prolongement de cette étude sur *Thérèse Desqueyroux* :

• Sur Mauriac et son œuvre

• Sur le thème de la solitude

• Sur l'amour et le mariage

• Sur le thème du crime

• Sur la question du point de vue

© HATIER, PARIS JANVIER 1994   ISSN 0750-2516   ISBN 2-218-06838-9

SOMMAIRE

Dans les pages suivantes, les chiffres entre parenthèses renvoient aux pages du LIVRE DE POCHE, nouvelle édition revue et corrigée, préface et commentaires de Jean Touzot (Paris, 1989).

Fiche Profil

Thérèse Desqueyroux
(1927)

François MAURIAC
(1885-1970)

ROMAN PSYCHOLOGIQUE
ET ROMAN DE MŒURS, XXᵉ SIÈCLE

RÉSUMÉ

Un an après avoir épousé Bernard Desqueyroux, Thérèse a tenté de l'empoisonner. Sous la pression de la famille soucieuse d'éviter tout scandale et grâce à de faux témoignages, dont celui de Bernard, le juge d'instruction conclut à un non-lieu. Libérée de toute poursuite, Thérèse quitte le palais de justice de B. pour rejoindre son mari dans la maison familiale d'Argelouse, hameau écarté des Landes.

Tout au long de ce trajet de retour, la jeune femme, souhaitant expliquer à son mari son geste criminel, prépare sa « confession ». Remontant jusqu'à ses années d'enfance solitaire, elle cherche dans ses souvenirs les raisons secrètes d'un acte qu'elle ne comprend pas elle-même. Elle revoit les visages de ceux qui ont compté dans sa vie : Anne, sa jeune belle-sœur, Jean Azévédo, aimé d'Anne et qu'elle s'est employée à détacher de la jeune fille, sa tante Clara, sourde et impie, son père Jérôme Larroque, politicien anticlérical, et les La Trave, ses beaux-parents, bourgeois bien-pensants. Elle se rappelle les scènes les plus marquantes de ces années écoulées, sans trouver une explication plausible de son crime.

Arrivée à Argelouse, Thérèse renonce à sa confession ; Bernard, en fait, ne lui laisse pas la parole : il dicte ses ordres ; Thérèse restera prisonnière dans la maison familiale. Une seule issue pour elle : mourir. Mais, au moment où elle tente de s'empoisonner, la mort de sa tante interrompt son geste et la rend à la vie. Commence le temps d'une séquestration qui la conduit à un tel état d'abandon physique et moral que Bernard décide de libérer sa femme. Elle va pouvoir réaliser son vœu : « être une femme seule dans Paris [...] Être sans famille ».

LES PERSONNAGES PRINCIPAUX

– **Thérèse Desqueyroux,** née Larroque. Personnage-titre. Fille unique de Jérôme Larroque, orpheline de mère peu après sa naissance. « La jeune fille la plus riche et la plus intelligente de la lande. »

– **Bernard Desqueyroux.** Mari de Thérèse. 26 ans l'année de son mariage. Orphelin de père ; sa mère s'est remariée avec M. de la Trave. A fait des études de droit à Paris. Possède deux mille hectares de pins dans les Landes.

– **Anne de la Trave.** Fille du second mariage de la mère de Bernard avec M. de la Trave, et donc demi-sœur de Bernard. Éprise de Jean Azévédo contre le gré de sa famille, puis fiancée au fils Deguilhem, un riche héritier.

– **Jean Azévédo.** Jeune Bordelais d'une famille israélite. Passe ses vacances près d'Argelouse et vit à Paris dans un cercle d'amis choisis pour leur curiosité intellectuelle.

– **Jérôme Larroque.** Père de Thérèse. Veuf. Propriétaire et industriel, c'est aussi un politicien anticlérical, candidat aux élections sénatoriales.

– **Tante Clara.** Sœur aînée de M. Larroque. « Vieille fille sourde », dévouée à Thérèse, anticléricale et athée comme son frère.

– **M. et Mme de la Trave.** Beau-père et mère de Bernard.

LES LIEUX

Argelouse (dans la réalité = Jouanhaut). Un hameau des Landes. La maison des Larroque et celle des Desqueyroux y sont voisines.

Saint-Clair (Saint-Symphorien). Bourg situé à dix kilomètres d'Argelouse. Lieu d'habitation des La Trave.

B. (Bazas). Sous-préfecture où Jérôme Larroque, maire et conseiller général de la ville, a sa résidence principale.

LES THÈMES

1. Une famille de la bourgeoisie provinciale.
2. L'incommunicabilité.
3. L'enfermement.
4. Culpabilité et innocence.

AXES DE LECTURE

Un roman psychologique : la recherche des mobiles d'un crime.

Un roman de mœurs : scènes de la vie familiale, bourgeoise, provinciale.

Un roman poétique : correspondances entre l'homme et la nature.

Un roman chrétien : Thérèse et Dieu.

1 Vie et œuvre de François Mauriac

▬▬▬ LE MILIEU FAMILIAL ET LES ÉTUDES

François Mauriac naît le 11 octobre 1885 à Bordeaux. Du côté maternel, une famille de bourgeois bordelais enrichis par le commerce. Du côté Mauriac, des propriétaires de vignobles et d'un millier d'hectares de bois dans les Landes. François a deux ans à la mort de son père. L'oncle Louis, frère de son père, devient le tuteur des enfants, qui retrouvent en lui les convictions républicaines et anticléricales de leur père et de leur grand-père paternel, tandis que leur mère, très pieuse, les élève dans la foi et les pratiques d'un catholicisme exigeant. Après des études secondaires au collège des Marianites, François Mauriac obtient à Bordeaux une licence de lettres, puis prépare à Paris le concours de l'École des Chartes. Reçu en 1908, il démissionne l'année suivante ; grâce à l'aisance financière que lui procurent les revenus des propriétés familiales, il peut désormais se consacrer à la littérature.

▬▬▬ LE POÈTE

Sous le titre *Les Mains jointes,* il fait paraître en 1909 un recueil de ses premiers poèmes, salué, en mars 1910, par un article élogieux d'un des plus prestigieux écrivains de son temps, Maurice Barrès. Ainsi encouragé, il publie encore *L'Adieu à l'adolescence* (1911), dont il jugera plus tard avec sévérité les effusions un peu fades. C'est dans les vers de sa maturité qu'il donnera la mesure de sa force poétique : *Orages* (1925), et surtout *Le Sang d'Atys* (1940), expriment l'opposition violente de l'exigence chrétienne et d'une sensualité païenne, le conflit de la Nature et de la Grâce.

■■■■■ LE ROMANCIER

Sa notoriété, Mauriac la doit au roman. Avec *L'Enfant chargé de chaînes* (1913) puis *La Robe prétexte* (1914), il tente sa voie dans une écriture qui se cherche encore mais sur des sujets auxquels il restera fidèle : peinture de l'enfance et de l'adolescence, du milieu familial. Il s'affirme avec *La Chair et le Sang* (1920) et *Préséances* (1921), il s'impose avec *Le Baiser au lépreux* (1922).

Génitrix (1923), *Le Désert de l'amour* (1925) jalonnent des années d'intense et riche production. *Thérèse Desqueyroux* (1926 en revue, 1927 en édition originale en volume) est le dixième roman de Mauriac.

De 1928 à 1954, il en publiera encore treize, dont *Destins* (1928), *Le Nœud de vipères* (1932), *Le Mystère Frontenac* (1933), *Les Anges noirs* (1936), *La Pharisienne* (1941), *Le Sagouin* (1951), *L'Agneau* (1954). Après un long silence, Mauriac revient au roman, un an avant sa mort, avec *Un adolescent d'autrefois* (1969) et laisse inachevé un récit qui sera édité en 1972 : *Maltaverne*.

Sur l'art du romancier, Mauriac a écrit deux essais : *Le Roman* (1928), *Le Romancier et ses personnages* (1933). Les préfaces qu'il a composées pour la publication de ses œuvres complètes (Fayard, 1950-1956) apportent un éclairage précieux sur les circonstances et les intentions de sa création romanesque. C'est « pour l'analyse pénétrante de l'âme et l'intensité artistique avec laquelle il a interprété dans la forme du roman la vie humaine » que le prix Nobel de littérature lui est décerné en 1952.

■■■■■ LE DRAMATURGE

François Mauriac s'est aussi essayé au théâtre. Ses deux premières pièces – *Asmodée* (1937) et *Les Mal-aimés* (1945) – furent d'incontestables succès. Mais *Passage du Malin* (1947) et *Le Feu sur la terre* (1950) ne rencontrèrent auprès du public et surtout de la critique qu'un accueil distant, ou une hostilité qu'on peut juger injustifiée.

■■■■■ LE JOURNALISTE
ET LE MÉMORIALISTE

Les *Mémoires intérieurs* (1959), puis les *Nouveaux Mémoires intérieurs* (1965) constituent la forme originale d'une autobiographie tentée dès 1926 avec *Bordeaux ou l'adolescence*, puis en 1932 avec *Commencements d'une vie* et en 1948 avec *Journal d'un homme de trente ans*. Les *Mémoires intérieurs* rompent avec la tradition du récit linéaire d'une vie ; l'écrivain nous parle des livres qu'il a aimés, des êtres qu'il a connus ; ses réflexions, ses rêveries composent ainsi, peu à peu, une image de lui-même, un reflet de sa vie intérieure.

Le *Journal* (1934-1953) et le *Bloc-Notes* (1952-1970). regroupent les chroniques données à différents journaux, notamment *Le Figaro* et *L'Express*. Ils illustrent, eux aussi, une forme très personnelle de journalisme ; Mauriac l'a définie comme « un journal intime à l'usage du grand public[1] ». Inspirés par les réactions de Mauriac à l'actualité, les articles de ces recueils expriment avec force l'engagement courageux de l'écrivain dès la guerre d'Espagne (1936-1939) jusqu'à la guerre d'Algérie (1954-1962).

■■■■■ HONNEURS ET COMBATS

Grand prix du roman de l'Académie française en 1926, élu à cette même Académie en 1933, Mauriac obtient le prix Nobel de littérature en 1952, et, en 1958, il est élevé à la dignité de Grand-Croix de la Légion d'honneur. Lorsqu'il meurt en 1970, à sa vie n'ont manqué ni les honneurs ni les combats que ses prises de position ou ses œuvres ont suscités. Par son importance et sa diversité, son œuvre n'a cessé, depuis, d'éveiller l'intérêt du grand public comme de la critique universitaire.

---

1. Tome XI des *Œuvres complètes* (Fayard, 1952), préface du *Journal*.

2 Résumé

Chapitre I

Accompagnée de son avocat, Thérèse Desqueyroux sort discrètement du palais de justice de la sous-préfecture de B. Jérôme Larroque, père de Thérèse, l'attend au-dehors ; l'avocat annonce que le juge d'instruction a conclu à un non-lieu : faute de preuves de sa culpabilité, Thérèse n'est plus poursuivie. La calèche qui doit la conduire à la gare a été laissée à l'extérieur de la ville, pour ne pas attirer l'attention. Les deux hommes conversent en marchant, inattentifs à la jeune femme et seulement occupés des répercussions de cette affaire sur la carrière politique de Monsieur Larroque.

Thérèse s'efforce de ne pas les entendre ; elle imagine qu'elle aurait pu connaître le sort de sa grand-mère Julie Bellade, dont la famille a comme effacé l'existence scandaleuse, et dont pas même une photographie ne subsiste ; elle songe à sa fille qu'elle embrassera cette nuit tandis que l'enfant dormira.

Les voici tous trois devant la calèche. Le cocher, Gardère, dévisage avidement Thérèse ; son père cependant l'écoute et la voit à peine ; l'avocat s'inquiète de savoir si elle rejoint dès ce soir Monsieur Desqueyroux. Alors brusquement elle pense qu'il va lui falloir retrouver son mari encore malade, vivre à nouveau à ses côtés. Tout au long de l'instruction, elle est retournée ainsi auprès de lui, sans la moindre gêne, soucieuse seulement de lui transmettre les conseils de l'avocat sur la conduite à tenir.

Elle imagine maintenant le silence qui règne à Argelouse, ce hameau perdu des Landes où l'attend son mari. Elle songe au premier regard que Bernard et elle échangeront.

Terrifiée, elle déclare son intention de rentrer quelques jours plus tard chez son père. Alors Monsieur Larroque lui rappelle avec autorité que tout doit, au contraire, reprendre comme d'habitude. Bernard et elle doivent être aux yeux de tous « comme les deux doigts de la main… jusqu'à la mort ».

Chapitre II

Une heure de calèche jusqu'à la gare du Nizan. Thérèse pense à toutes les étapes de ce retour, souhaite ne jamais atteindre Argelouse. Elle s'abandonne, épuisée, aux mouvements de la voiture, songe à ce que pourront être les premières paroles de Bernard. Puis elle s'assoupit et rêve que le juge l'interroge, rouvre l'instruction après avoir découvert le paquet de poison encore caché dans la poche d'une vieille pèlerine. Elle se réveille avec soulagement, comme de ces cauchemars où, adolescente, elle rêvait qu'il lui fallait de nouveau subir un examen. Thérèse prend alors conscience qu'elle peut encore vivre auprès de Bernard : si elle s'ouvre à lui, ne lui cachant rien de ce qu'elle a fait et pensé ; avec joie, elle décide de consacrer le temps de son voyage à préparer cette confession.

Mais Thérèse en constate aussitôt la difficulté, parce qu'elle ignore tout des raisons profondes de son acte, et ne peut déchiffrer les mouvements confus qui l'ont portée à agir.

Voici la gare du Nizan, qui lui rappelle des voyages avec son amie Anne, des haltes ici même avec elle : Anne, premier personnage de son histoire, et dont il faudra d'abord parler à Bernard. Dans le compartiment vide, à peine installée, Thérèse se demande comment rendre son drame intelligible à Bernard, pour qu'il pardonne. Peut-être faudrat-il rappeler son enfance, le temps où elle était lycéenne, et proposée à ses camarades en modèle d'une sagesse toute fondée sur la raison. Temps de la pureté, pour Thérèse, par contraste avec sa vie de femme mariée ; paradis perdu, angélique mais plein de passions. Aux vacances, sa joie était de retrouver, à Argelouse, Anne de la Trave, pieusement élevée par les dames du Sacré-Cœur. C'est dans ces étés heureux que sans doute son drame a pris naissance. Cependant le train entre en gare d'Uzeste, et Thérèse songe qu'elle a peu de temps pour « préparer sa défense ».

Chapitre III

Argelouse, à dix kilomètres du bourg de Saint-Clair, est le dernier lieu habité avant quatre-vingts kilomètres de landes et de marécages qui s'étendent jusqu'à l'océan. La maison de Jérôme Larroque lui venait de sa femme, morte peu après la naissance de Thérèse. Sa sœur aînée, tante Clara, vieille fille sourde, y gardait Thérèse l'été, pendant les vacances. La maison voisine, depuis la mort de Monsieur Desqueyroux, appartenait à son fils, Bernard. Celui-ci, étudiant en droit à Paris, ne s'installait à Argelouse qu'au temps de la chasse, consacrant peu de jours à sa famille : sa mère, son beau-père, Monsieur de la Trave, et sa demi-sœur, Anne.

L'idée de marier Thérèse et Bernard était née tout naturellement de la proximité de leurs propriétés. À vingt-six ans, raisonnable en toutes choses, Bernard se montrait un fiancé indifférent ; en se mariant, il organisait sa vie. Pourtant Thérèse reconnaît qu'il avait plus de finesse que les autres hommes de la lande, une sorte de bonté, un esprit juste, de la bonne foi.

Mais encore une fois c'est Anne qu'elle revoit : Anne en vacances, venue à bicyclette depuis Saint-Clair lui rendre visite. Thérèse songe à l'étonnant et fragile bonheur que lui apportait cette amitié ; elles n'avaient pourtant aucun goût commun sinon d'être ensemble au salon, ou dans cette palombière[1] qui les abritait dans leurs promenades. Thérèse n'aimait pas voir Anne tirer les alouettes au crépuscule ; elle souffrait de ce qu'Anne n'éprouvait pas le besoin de la voir tous les jours ; et elle était saisie d'angoisse quand le soir elle se retrouvait seule.

Pourquoi Thérèse a-t-elle épousé Bernard ? Elle le voulait, elle était en adoration devant lui, répétait Madame de la Trave. Sans doute y avait-il la joie de devenir la belle-sœur d'Anne ; et surtout les deux mille hectares de Bernard ; mais plus profondément, Thérèse éprouvait le besoin d'un refuge, la hâte de trouver sa place et d'entrer dans un ordre. À l'approche de son mariage, Thérèse ressentait une paix jusqu'alors inconnue.

---

1. Palombière : cabane dans laquelle s'abritent les chasseurs pour guetter les vols de palombes.

Chapitre IV

Paix illusoire à quoi succède, dès le jour du mariage, la certitude d'être perdue. Anne même lui paraît maintenant lointaine et insignifiante.

Thérèse se souvient du festin des noces, de leur départ, le soir, sous les acclamations ; de la nuit qui suivit, de leur voyage aux lacs italiens ; elle se rappelle comment elle apprit à feindre un plaisir que Bernard, enfermé dans sa propre jouissance, ne lui découvrait pas ; comment dans l'amour même se renforçait leur solitude.

Elle n'avait d'abord reçu qu'une lettre d'Anne. Puis, à Paris, étape d'un retour que Bernard hâtait, trois à la fois, en même temps qu'une lettre de Mme de la Trave à Bernard, annonçant qu'Anne s'était éprise du fils Azévédo. Ce jeune homme, atteint, disait-on, de tuberculose pulmonaire, était venu se reposer dans une métairie proche d'Argelouse et propriété de sa famille : Vilméja.

La lecture des lettres avait plongé Thérèse dans la stupeur : Anne y chantait sa joie, le bonheur des caresses et le désir impatient d'un plaisir plus grand. La troisième apprenait que les La Trave avaient enfermé Anne, et contenait une photographie de Jean Azévédo.

Désespérée de voir Anne jouir d'un bonheur qui lui était refusé, Thérèse avait percé cette photographie d'une épingle, à l'endroit du cœur.

Bernard avait décidé leur retour immédiat à Argelouse, où ses parents comptaient sur l'aide de Thérèse. Leur dernier repas parisien avait été l'occasion d'une vive discussion sur la famille, dont Bernard défendait l'autorité et l'honneur contre les insinuations de Thérèse. Elle se souvient encore de la nuit qui suivit, occupée à relire la dernière lettre d'Anne ; puis elle avait déchiré les lettres et en avait jeté les morceaux par la fenêtre. Elle avait aussi imaginé un instant de se jeter dans la rue ; mais il lui fallait vivre, pour briser l'amour d'Anne et lui prouver que le bonheur n'existe pas. Elle voulait aussi répondre à l'attente de sa famille et permettre au fils Deguilhem, riche propriétaire de pins, d'épouser Anne de la Trave.

Le matin de leur départ, une nausée avait confirmé Thérèse dans l'idée qu'elle était enceinte.

Chapitre V

Le train approche de Saint-Clair. C'est dans ce bourg, chez les La Trave, que les jeunes mariés avaient habité à leur retour de voyage de noces. Thérèse revoit ses allées et venues entre Anne, errant au jardin, et ses parents qui, assis au salon, s'inquiétaient de la santé de leur fille, résolus pourtant à ne lui rien céder. Ils comptaient sur les vertus d'un changement d'air. Thérèse s'efforçait de convaincre Anne d'accepter ce voyage.

Au repas du soir, Anne mangeait en silence, comme absente ; Thérèse, regardant manger Bernard, était prise d'un dégoût et sortait. Anne l'avait rejointe dehors, sur le banc ; elle lui avait dit sa certitude de triompher et sa confiance en Thérèse. Le visage appuyé contre le flanc de son amie, Anne avait alors senti bouger l'enfant ; elles étaient revenues « enlacées comme naguère ». Mais la peur avait envahi Thérèse de cette créature inconnue qui était en elle et dont elle ne voulait pas la naissance.

Chapitre VI

Après le départ d'Anne et des La Trave, Thérèse avait connu à Argelouse, où elle s'était installée avec Bernard dans la maison des Larroque, une période de torpeur ; sans cesse elle remettait l'entrevue promise avec Jean Azévédo. Bernard, de son côté, brusquement saisi d'une pensée anxieuse de la mort, s'était cru cardiaque et, la nuit, réveillait Thérèse qui ne se rendormait qu'au matin. Quand il retrouvait sa femme encore au lit à la fin de la matinée, il s'irritait qu'elle négligeât de rencontrer le jeune homme.

Villandraut, dernière station avant Saint-Clair. Thérèse voudrait faire comprendre à Bernard qu'elle n'a pas aimé Jean Azévédo et qu'il n'est pas cause de son crime. En fait, elle n'imaginait pas qu'un autre pût être meilleur mari que Bernard. Elle n'avait connu qu'un être supérieur, ou que du moins elle avait voulu croire tel : son père. Cet anticlérical pudibond passait pour un saint, mais Thérèse reconnaissait sa bassesse. Aux repas où Monsieur Larroque rencontrait les La Trave, la religion ou la politique étaient l'objet d'âpres disputes. Pourtant les uns et les autres n'avaient qu'une même passion : celle de la propriété, et Thérèse leur en voulait de ne pas l'avouer franchement.

Un jour où Bernard est parti consulter enfin un médecin à Bordeaux, Thérèse se rend en promenade à la palombière abandonnée où Anne et elle aimaient autrefois à s'arrêter, où Anne et Jean se rejoignaient. Elle y rencontre Jean, qui, dès les premiers mots de reproche de Thérèse – plaidant la cause de la famille –, proteste qu'il n'a jamais voulu épouser Anne ; du moins lui a-t-il donné le seul bonheur que sa vie lui permettrait. L'intelligence du jeune homme, son ardeur à chercher des joies toujours nouvelles, étonnent Thérèse qui l'écoute, captivée. Pour la première fois elle rencontre un homme pour qui comptent plus que tout la lecture, la réflexion, la discussion. Thérèse et Jean se séparent sans avoir rien résolu au sujet d'Anne, mais ils décident de se revoir.

Chapitre VII

Quand Thérèse rentre à Argelouse, Bernard lui apprend que le médecin, l'ayant seulement trouvé anémique, lui prescrit un traitement à l'arsenic. Elle parle à Bernard de son entrevue avec Jean et improvise le plan qu'ils ont, dit-elle, arrêté : une lettre de Jean à Anne, qui lui ôtera tout espoir.

Cette lettre, Jean et elle l'ont effectivement écrite lors d'une autre rencontre. De quelques promenades avec lui, elle se rappelle encore Jean lui décrivant sa vie à Paris et l'encourageant à se libérer, à ne pas se renier mais à devenir ce qu'elle était ; exhortations qui la touchaient profondément quand elle voyait Bernard, fatigué par une journée de chasse, s'endormir près du feu ; alors s'installait le grand silence d'Argelouse, auquel plus que jamais Thérèse fut sensible après le départ de Jean. Deux jours après ce départ – et Thérèse voudrait repousser ce souvenir –, le soir, tandis qu'elle s'attardait seule au salon, Anne avait frappé à la porte. Bouleversée par la lettre de Jean, elle s'était enfuie de Biarritz pour le rencontrer ; et maintenant elle refusait de le croire parti, elle voulait se rendre tout de suite à Vilméja ;

Thérèse l'avait accompagnée dans la nuit jusqu'à la maison vide. À leur retour, Bernard, réveillé, les attendait, et, juge terrible, avait enfermé Anne dans une chambre. À ce souvenir, Thérèse comprend qu'il ne l'écoutera pas : il a déjà préparé son verdict.

Chapitre VIII

Une fois Anne revenue à Saint-Clair avec ses parents, le silence d'Argelouse s'était encore alourdi pour Thérèse. Jean avait laissé sans réponse une lettre de Thérèse et les livres qu'il lui avait conseillés lui semblaient incompréhensibles. Les soins que lui prodiguait Bernard s'adressaient moins à elle qu'à l'enfant qu'elle portait : Thérèse perdait le sentiment de son existence individuelle. En décembre, le couple avait regagné Saint-Clair, où Thérèse retrouvait Anne, mais distante maintenant et déjà, semblait-il, résignée. On parlait beaucoup du curé, un homme jeune encore, solitaire, peu apprécié de ses paroissiens. Pour entendre ce prêtre, comme elle différent des autres et qui peut-être pourrait l'aider, elle avait alors fréquenté l'église.

Après la naissance de la petite Marie, le malaise de Thérèse n'avait cessé de croître. Non qu'il y eût mésentente entre elle et son mari ou ses beaux-parents : ils ne pouvaient pas même se comprendre. Si l'on disait que sa fille lui ressemblait, Thérèse en était exaspérée : elle voulait que rien ne la liât à cet enfant ; aussi la jugeait-on peu maternelle. Anne au contraire vivait à nouveau depuis qu'elle s'occupait de la petite fille. Dans le néant où s'enfonçait Thérèse, détachée de tous et de tout, seul Bernard conservait une réalité, maintenant « affreuse » ; elle avait particulièrement exécré son mari le jour de la Fête-Dieu, en le voyant suivre, par devoir, la procession.

La chaleur et la sécheresse faisaient craindre des incendies ; des pins avaient déjà brûlé. Thérèse, qui n'en pouvait plus d'attendre, rêvait d'un feu qui détruirait aussi le bourg, et qu'elle aurait elle-même allumé. Mais « ce n'était pas aux arbres qu'allait sa haine. »

« La voici au moment de regarder en face l'acte qu'elle a commis. » Le jour d'un grand incendie de forêts, Bernard, préoccupé et distrait, avait doublé la dose de son médicament sans que Thérèse, accablée de chaleur, songeât à intervenir. Peu après, il en avait pris une seconde fois, et Thérèse n'avait rien dit. Elle n'avait rien dit non plus au docteur Pédemay, appelé la nuit au chevet de Bernard. Alors l'acte avait pris naissance : la tentation, d'abord, de vérifier, « une seule fois », si l'absorption excessive d'arsenic était bien la cause de ce malaise ; elle avait commencé à empoisonner Bernard.

Les feux de la gare de Saint-Clair sont en vue. Thérèse n'a plus rien à dire que Bernard ne sache : comment ensuite son mal a repris, comment son état s'est aggravé, puis amélioré au moment même où l'on décidait de faire venir un médecin de Bordeaux. Bernard avait alors voulu qu'on l'installât à Argelouse, pensant être guéri pour la chasse aux palombes ; Thérèse veillait son mari, soignait sa tante victime d'une crise de rhumatismes et la remplaçait dans ses visites aux malades des métairies. Au début de décembre, Bernard avait été terrassé ; un médecin bordelais appelé en consultation l'avait fait transporter d'urgence dans une clinique. On parlait d'ordonnance falsifiée : les soupçons portaient sur Thérèse, qui prétextait que l'ordonnance suspecte lui avait été remise par un inconnu.

Chapitre IX

Saint-Clair. Thérèse monte dans la carriole que conduit Balion, le métayer des Desqueyroux. Elle sent maintenant s'effondrer sa confession péniblement préparée : « Le plus simple sera de se taire. » Il faudrait que Bernard lui ouvre les bras « sans rien demander ». Sur la route viennent à sa rencontre tante Clara et Bernard ; elle leur annonce le non-lieu et ils montent à côté d'elle.

À leur arrivée, Bernard introduit Thérèse dans le salon. Tante Clara, guettant par le trou de la serrure, voit Thérèse sourire. Elle sourit en effet, mais c'est parce qu'elle constate soudain qu'il est impossible à Bernard de la comprendre ; elle accepte maintenant d'être rejetée : « Laissez-moi disparaître, Bernard. » À cette demande, Bernard enfin parle : au nom de la famille et dans son intérêt, il a décidé que toutes les apparences de leur union seront sauves ; mais Thérèse sera reléguée dans sa chambre de la maison Desqueyroux, libre seulement de courir les bois, séparée de tante Clara, séparée de sa fille dont se charge Madame de la Trave. Bernard craint en effet pour la vie de Marie, héritière de ses propriétés ; le mobile du crime, pour lui, c'est la volonté de le déposséder. Dans quelques mois, après le mariage d'Anne, il regagnera Saint-Clair, laissant Thérèse à Argelouse. De dominer enfin sa femme, Bernard éprouve joie et fierté. Thérèse songe-t-elle à s'enfuir ? Il menace : la famille la livrera à la justice.

Chapitre X

Restée seule au salon dans le noir, Thérèse songe à la confession qu'elle a vainement préparée. Elle s'étonne d'avoir accordé tant d'importance à Jean Azévédo ; en fait, elle a voulu briser la mécanique familiale ; puisqu'elle n'a pu le faire, la machine va l'anéantir. La pensée lui vient un instant de fuir, malgré les menaces de Bernard ; mais elle n'a pas d'argent, ne peut en avoir que par Bernard. Du moins veut-elle s'assurer s'il a bien cette preuve qu'il prétend détenir : elle monte jusqu'au grenier. Non : le paquet est toujours là, dans la poche profonde d'une vieille pèlerine : chloroforme, aconitine, digitaline. Elle pense aux gestes nécessaires pour absorber le poison, pour mourir.

En descendant, elle entre dans la chambre où dort Marie, regarde l'enfant, trop semblable à elle-même, baise la petite main et s'étonne de sentir couler ses larmes. Dans sa chambre, elle emplit d'eau un verre, hésite, terrifiée – incertaine que Dieu n'existe pas –, verse le chloroforme, quand entre Balionte, la servante, annonçant la mort de tante Clara. Thérèse assiste au service funèbre, puis à la messe le dimanche suivant, entre son mari et sa belle-mère : « cernée de toutes parts », la foule derrière, et devant elle, l'homme de Dieu.

Chapitre XI

La beauté de l'automne efface d'abord pour Thérèse les incommodités de la maison Desqueyroux. Mais les soirées dans sa chambre sont interminables. À court de livres, elle fume, tisonne, tente en vain de dormir. Ses promenades mêmes sont sans joie : elle fait peur et doit éviter toute rencontre. Seule la messe du dimanche à Saint-Clair lui apporte quelque répit ; elle croit trouver l'opinion moins sévère. En novembre, la pluie tombe sans arrêt ; un soir, Thérèse, qui n'a pu sortir, descend dans la cuisine ; mais Bernard l'en chasse et lui annonce qu'il part pour Saint-Clair dès le lendemain, la dispensant désormais d'assister à la messe.

Le lendemain, Thérèse fume, se couche dès l'après-midi, refuse de dîner. Prise de fièvre, elle imagine sa vie à Paris, en compagnie d'Azévédo et de ses amis : elle leur parlerait, s'expliquerait ; sa vie s'organiserait autour d'un amour caché. Le jour suivant elle reste couchée, néglige sa toilette, mange à peine, fume, tentant « de retrouver ses imaginations nocturnes ». Ainsi passent les jours, Balionte ne faisant plus le lit ni le ménage, cependant que Thérèse s'enferme dans ses rêves. Balionte enfin la contraint à se lever pour faire la chambre, confisque ses cigarettes de peur qu'elle ne mette le feu. La fenêtre mal fermée s'ouvre la nuit. Sans courage pour se lever, Thérèse d'abord se couvre, puis comme par défi, repousse les couvertures et s'exposant au froid, s'occupe à souffrir.

Chapitre XII

Une lettre de Bernard annonce son arrivée vers le 20 décembre ; Anne et le fils Deguilhem maintenant fiancés l'accompagneront : le futur gendre des La Trave tient à voir Thérèse. Elle s'efforce alors de reprendre contact avec la réalité, de s'arracher au rêve, de réapprendre à manger, à marcher. Le 18 décembre dans l'après-midi, elle entend l'auto, puis la voix de Bernard, et, pour descendre, se farde. Dans le salon, Bernard, le fils Deguilhem, Anne et sa mère, l'attendent.

Quand elle entre, sa maigreur provoque la stupeur et la pitié. Thérèse félicite Anne de ses fiançailles et Anne lui donne de Marie des nouvelles qu'elle ne songeait pas à lui demander. Thérèse sent qu'Anne la méprise de se désintéresser de sa fille ; elle, cependant, pense au destin d'Anne, appelée – sacrifice non sans beauté – à s'anéantir dans ses enfants. Tous enfin se lèvent ; Thérèse, épuisée par son effort, s'évanouit. Bernard, qui a résolu de rester, entre dans la cuisine, s'emporte contre les Balion, décide que Thérèse prendra ses repas avec lui, comme autrefois. Il a eu peur ; désormais il l'entoure de soins : il faut qu'elle guérisse, puis qu'elle disparaisse. Après le mariage d'Anne, elle pourra vivre à Paris.

Maintenant que Thérèse songe à se perdre dans la foule des hommes, la nature autour d'elle cesse de lui paraître hostile ; elle découvre que « le silence d'Argelouse » n'existe pas. Elle s'étonne aussi de la facilité nouvelle de leur vie commune, de la liberté de chacun devant l'autre.

Chapitre XIII

Un matin de mars, Bernard et Thérèse sont assis à la terrasse d'un café parisien. Dans un instant, Bernard va repartir pour Argelouse. Il se reproche d'être venu, cédant au désir de Thérèse : au moment de la quitter, il ressent tristesse et trouble ; une question lui vient aux lèvres : pourquoi a-t-elle voulu sa mort ? Il ne croit plus que ce soit pour ses pins. Voici peut-être enfin pour Thérèse le moment de dire cette confession autrefois préparée. Elle entrevoit la possibilité d'un pardon, d'une vie nouvelle à Argelouse.

Elle tente de dire la raison de son acte, celle du moins qu'elle devine à l'instant : il lui semble qu'elle a voulu troubler Bernard, faire naître précisément en lui cette inquiétude et cette curiosité qu'il manifeste maintenant. Mais Bernard croit qu'elle se moque ; il veut savoir le moment où elle a commencé : elle raconte le jour du grand incendie de Mano. Alors Bernard ricane, pense qu'elle cherche à se disculper ; elle, cependant, se charge avec passion, explique son acharnement à tuer par la volonté d'être elle-même. Bernard agacé et pressé d'en finir est de nouveau lointain. Thérèse suggère qu'elle pourrait revenir à Argelouse parfois, pour ses affaires, pour voir Marie : elle reviendra, répond Bernard, pour les cérémonies de famille. Thérèse songe qu'elle aurait dû s'enfuir une nuit, se perdre et mourir dans une lande. Les derniers efforts qu'elle tente pour renouer la conversation restent vains. Bernard hèle un taxi et s'en va.

Demeurée seule, Thérèse regarde la foule passer, va déjeuner dans un restaurant de la rue Royale, tout occupée déjà des êtres qu'elle souhaite approcher. « Thérèse avait un peu bu et beaucoup fumé. Elle riait seule comme une bienheureuse. Elle farda ses joues et ses lèvres, avec minutie ; puis, ayant gagné la rue, marcha au hasard. »

3 Le personnage-titre : Thérèse

■■■■ PORTRAIT

Thérèse est-elle brune, blonde ou rousse ? Comment se coiffe-t-elle, comment s'habille-t-elle ? Ces questions restent sans réponse. Certaines indications nous sont pourtant données : Thérèse est plus grande que son père (elle domine « du front » le « petit homme aux courtes jambes arquées » (p. 10)) ; elle se farde, elle fume (sa main est « toute jaunie de nicotine » (p. 107)) ; elle n'est « peut-être pas la plus jolie » (p. 26) des jeunes filles de la lande ; elle peut même paraître – le jour de son mariage par exemple –, « laide et même affreuse » (p. 34). Mais « on subit son charme » (p. 19, 26), « elle est le charme même » (p. 126).

Une petite tête, un vaste front, une voix moqueuse, un regard insistant, des pommettes trop saillantes, un nez court : ces précisions constituent les seuls détails d'un portrait à la fois frappant et toujours incomplet.

Quel est l'âge de Thérèse à la première page du roman ? Trente ans, si l'on en croit *La Fin de la nuit*. Cet autre roman de Mauriac qui, en 1935, met fin à l'histoire de Thérèse, lui donne quarante-cinq ans, quinze ans après le temps de son inculpation. Mais on peut penser aussi que Mauriac n'a eu, dans les suites qu'il a composées, aucun souci d'une exacte chronologie. Thérèse pourrait donc être, dans le premier roman, sensiblement plus jeune, plus proche d'Anne. À la question que nous posions, Thérèse a sa manière de répondre : « Je n'ai pas d'âge » (p. 127), dit-elle.

C'est à l'histoire d'un être, inscrite sur son visage, déchiffrable dans l'usure de son corps, que Mauriac avant tout s'attache. Dès les premières pages, Thérèse est un corps épuisé qui s'abandonne aux cahots de la calèche ; à la fin du roman, au terme de sa séquestration, son délabrement physique provoque « étonnement » et « pitié » (p. 114) de ceux mêmes qui l'ont condamnée. Ce corps rongé, brûlé, exsangue, garde les marques du drame qu'elle a vécu.

◼◼◼◼ ÉDUCATION

Une enfance sans mère

Thérèse n'a jamais connu sa grand-mère maternelle, Julie Bellade, « cette femme dont nul ne savait rien, sinon qu'elle était partie un jour » (p. 12). Elle n'a pas non plus connu sa mère, morte peu après sa naissance. Accueillie pendant les vacances par la sœur aînée de M. Larroque, tante Clara, qui vit solitaire à Argelouse, Thérèse passe ces étés de son adolescence en la seule compagnie d'une vieille fille sourde, avec l'unique et négligente amitié d'Anne de la Trave, demi-sœur de Bernard Desqueyroux. Son père n'en a guère souci : Thérèse se plaît à Argelouse, et il l'y rapproche de Bernard, fiancé présumé ; mais surtout, tante Clara le débarrasse de sa fille. M. Larroque est un notable, il a ses responsabilités de maire et de conseiller général, ses activités d'industriel, autant de raisons pour se désintéresser de Thérèse. L'ambition, l'intérêt personnel commandent sa conduite. Au reste, il n'a que mépris pour les femmes : « Toutes des hystériques quand elles ne sont pas des idiotes » (p. 58).

Une éducation sans Dieu

Monsieur Larroque a aussi « sa carrière, son parti » (p. 94). Ce radical[1], farouchement anticlérical, a donné à sa fille une éducation conforme aux principes qu'il affiche : il l'a confiée à sa sœur, « vieille radicale » (p. 59) et « vieille impie » (p. 100), et aux maîtresses de l'école laïque. Au lycée, Thérèse, dont chacun louait l'intelligence, a pu être proposée à ses camarades en exemple de l'idéal tout humain qu'elle réalisait en elle, portée seulement par « l'orgueil d'appartenir à l'élite humaine », sans considération d'un Dieu qui récompense ou châtie : « Sa conscience est son unique et suffisante lumière » (p. 21), disaient ses professeurs.

---

1. Le parti radical eut une influence prépondérante sous la Troisième République. Son programme, inspiré par une morale laïque anticléricale, devait notamment aboutir, en 1905, à la séparation des Églises et de l'État. Après la guerre de 1914, les radicaux formèrent avec les socialistes le Cartel des gauches, qui fut au pouvoir de 1924 à 1926.

Fille d'un « propriétaire industriel » (p. 58) des Landes, Thérèse a « la propriété dans le sang » (p. 31, 59), « l'amour des pins dans le sang » (p. 80) : « Les deux mille hectares de Bernard ne l'avaient pas laissée indifférente » (p. 31), ni la pensée de dominer, en l'épousant, « sur une grande étendue de forêt » (p. 31). Pourtant, bien qu'elle partage avec ceux qui l'entourent l'amour de la propriété, elle se distingue d'eux radicalement. Elle a une forme d'esprit, des habitudes, des manières qui les choquent ou qu'ils ne comprennent pas. Plus instruite que la plupart des jeunes filles de « bonne famille » (p. 124) élevées dans les institutions religieuses, elle n'a pas reçu comme elles une éducation chrétienne. « Elle n'a pas nos principes », dit sa belle-mère, il faudrait « la ramener aux idées saines » (p. 30). Il y a dans sa tête « quelques idées fausses » (p. 32), confirme Bernard ; il regrette qu'elle « n'aime pas causer de ce qui est intéressant » (p. 36) et lui reproche de discuter « pour le plaisir de discuter » (p. 42), prenant « en tout le contre-pied de ce qui est raisonnable » (p. 57).

« La manie de lire »

Rien de commun entre elle et son amie Anne, qui n'aime que « coudre, jacasser et rire » (p. 28), hait la lecture et n'a « aucune idée sur rien » (p. 28). Thérèse, elle, a « la manie de lire » (p. 49). Elle rêve d'une société d'amis cultivés, elle aimerait « suivre des cours, des conférences, des concerts » (p. 119), elle imagine qu'elle pourrait écrire et publier son journal, le « journal d'une femme d'aujourd'hui » (p. 105). Elle demeure « indifférente, étrangère » (p. 80) à la vie du bourg et à ses menus événements, à ce qui se passe autour d'elle, à ceux qui parlent et s'agitent à ses côtés – le « jour du grand incendie de Mano », par exemple.

« Elle fume comme un sapeur »

En rupture avec la discrétion et les bonnes manières des femmes provinciales, Thérèse se farde, et surtout elle fume ; « elle fume trop » (p. 52), « elle fume comme un sapeur :

un genre qu'elle se donne » (p. 30), prétend sa belle-mère. Mauvais genre. Le geste avec lequel Thérèse allume une cigarette a toujours choqué Bernard.

Le refus du « morne destin commun »

Thérèse s'est mariée pour entrer dans l'ordre familial, pour y trouver refuge, prendre son rang, trouver « sa place définitive » (p. 31). Mais elle ne peut longtemps se résigner à n'être qu'« une femme de la famille » (p. 49), vouée à la maternité, condamnée à « perdre toute existence individuelle » (p. 115).

« Mais moi, mais moi... » proteste-t-elle. Un mot résume pour Thérèse la radicale différence qui l'oppose aux siens et qui arme contre elle-même la « puissante mécanique familiale » : « Inutile de chercher d'autres raisons que celle-ci : parce que c'était eux, parce que c'était moi » (p. 96).

▬▬▬ THÉRÈSE, UN « MONSTRE » ?

Fille, nièce et mère sans amour

« Plus sevrée » d'amour « qu'aucune créature » (p. 108), Thérèse apparaît elle-même incapable d'affection.

À son père, elle a voué l'admiration que lui semblait mériter un « homme supérieur » (p. 58). Mais cette admiration naît de l'image embellie qu'à distance Thérèse se fait de M. Larroque ; en sa présence, elle le juge sans complaisance : « Thérèse, dès qu'il était là, mesurait sa bassesse. »

Tante Clara n'a jamais compté pour sa nièce. Thérèse n'ignore pas l'amour que lui porte la vieille demoiselle, les soins maternels dont elle entoure l'enfant qui lui est confiée ; Thérèse constate son humble tendresse mais ne lui donne en retour aucune marque d'affection : « Pas plus qu'un dieu ne regarde sa servante, je ne prêtais d'attention à cette vieille fille [...] elle n'aimait que moi qui ne la voyais même pas se mettre à genoux, délacer mes souliers, enlever mes bas, réchauffer mes pieds dans ses vieilles mains » (p. 60).

Pour l'enfant qu'elle a mis au monde, Thérèse ne montre ni tendresse ni même intérêt. Pendant sa grossesse, elle a souhaité que « cette créature inconnue » (p. 54), qui n'est encore pour elle qu'un « fardeau tressaillant » (p. 53), ne se manifestât jamais. La naissance, dans ses souvenirs, n'éveille aucune image, aucune émotion. Thérèse ne la mentionne que comme un événement insignifiant, simple repère au centre de ce long temps mort qui commence au départ de Jean Azévédo pour s'achever à l'incendie de Mano : « Jusqu'à mes couches, en janvier, rien n'arriva » (p. 71) ; « Que se passa-t-il cette année-là ? » (p. 79). Elle n'a pas préparé la naissance – « travailler à la layette : "Ce n'était pas sa partie", répétait Mme de la Trave » (p. 75) ; elle ne donne pas non plus à son enfant les soins d'une mère : « Il ne faut pas lui demander de surveiller son bain ou de changer ses couches : ce n'est pas dans ses cordes » (p. 78). Plus gravement, Marie semble à peine exister pour sa mère, qui l'abandonne à Anne – « une fameuse petite maman » (p. 78) – ou à la bonne, et qui refuse tout lien entre sa fille et elle : « Cette enfant n'a rien de moi, insistait-elle […] Avec cette chair détachée de la sienne, elle désirait ne plus rien posséder en commun » (p. 78).

Une femme qui a exécré son mari

Pour Bernard, au temps des fiançailles, elle manifeste une véritable « adoration » (p. 30) ; mais cette « attitude » (p. 31) cède devant la répulsion que lui inspire, après son mariage, « ce grand corps brûlant » qu'elle voudrait « écarter une fois pour toutes et à jamais » (p. 44). Bernard, après la naissance de Marie, va prendre à ses yeux « une réalité affreuse » (p. 79) : « Elle se rappelle avoir exécré son mari plus que de coutume, le jour de la Fête-Dieu » (p. 79).

Une âme morte ?

Thérèse, si souvent associée à l'image de la flamme, est liée aussi à l'évocation de la fumée : il lui semble parfois s'enfoncer dans un tunnel sans fin ; dans ces ténèbres enfumées, elle suffoque, elle étouffe. Il lui faut au plus vite gagner « l'air libre » : en effet, « elle a toujours eu la terreur de mourir » (p. 98).

Mais cette asphyxie, seulement morale, n'entraîne que la mort de l'âme, ce que Thérèse appelle « la mort dans la vie » (p. 86) : un détachement total qui la sépare du monde et de son être même. Après son suicide manqué, elle consent à « vivre, mais comme un cadavre entre les mains de ceux qui la haïssent » (p. 100). En présence de son mari, elle prend soin « d'éteindre son regard » (p. 41). Entre ses bras, elle fait « la morte », semblable à une noyée rejetée sur une plage, « les dents serrées, froide » (p. 36). Une « figure morte » (p. 22) : c'est le visage qu'offre la jeune femme épuisée qui retourne à Argelouse après le non-lieu.

Cruauté de Thérèse

Thérèse n'est pas toujours indifférente, absente à tout et à tous. Depuis son adolescence, elle aime à souffrir et à faire souffrir et elle en tire un plaisir qu'elle avoue : « Je jouissais du mal que je causais et de celui qui me venait de mes amies » (p. 22). Elle sait d'instinct trouver le mot ou garder le silence qui inquiètent, qui torturent. Ainsi, avec Bernard, lorsque celui-ci, « sentant » son cœur et saisi par la peur de la mort, quémande une parole rassurante : « Elle ne lui donnait jamais la réponse qu'il désirait » (p. 57). De même avec Anne, brûlée d'un amour impossible et quêtant un geste d'affection et de consolation : « Embrasse-moi, Thérèse. » Mais Thérèse ne se penchait pas vers cette tête confiante. Elle demandait seulement : « Tu souffres ? » ; « elle l'entendait souffrir dans l'ombre ; mais sans aucune pitié » (p. 52-53). Impitoyable avec ses victimes, Thérèse voit souffrir Anne mais n'en est pas touchée ; elle voit souffrir Bernard, d'une agonie qui n'en finit pas, mais sa résolution, loin d'être ébranlée, devient plus dure : « Je ne me sentais cruelle que lorsque ma main hésitait. Je m'en voulais de prolonger vos souffrances » (p. 124).

Une instinctive malfaisance

Avant même de commettre son acte meurtrier, avant de devenir un « monstre » (p. 93, 94, 96, 98, 99), Thérèse apparaît possédée d'une force mauvaise et implacable, d'une

fatalité destructrice. Le mariage scelle son terrifiant destin :
« Elle avait le sentiment de ne plus pouvoir désormais se perdre
seule. Au plus épais d'une famille, elle allait couver, pareille
à un feu sournois qui rampe sous la brande, embrase un pin,
puis l'autre, puis de proche en proche crée une forêt de
torches » (p. 33). Avant son crime, elle révèle déjà une ins-
tinctive malfaisance, quand elle perce au cœur la photographie de Jean Azévédo ou quand elle écrit avec lui la cruelle
lettre de rupture qu'il adresse à Anne (p. 68).

Thérèse est cette louve à l'« œil méchant et triste » que
Mauriac, « à travers les barreaux vivants d'une famille », a vu
« tourner en rond » (p. 7) dans sa cage. Elle est aussi la
« guêpe sombre » qui va et vient du « petit salon téné-
breux » (p. 47) au jardin, « royaume de la lumière et du feu »
(p. 51), où Anne se consume de chagrin. Au service de la
famille et de ses préjugés, patiemment et sans une hésita-
tion elle va instiller son venin, ruiner le bonheur d'Anne.

Sensibilité de Thérèse

La nuit de son retour à Argelouse, Thérèse, sur le point de
se donner la mort, regarde une dernière fois dormir son
enfant ; elle pose ses lèvres sur la petite main ; « quelques
pauvres larmes » lui viennent alors aux yeux, révélant en
Thérèse – « qui ne pleure jamais » (p. 99) – une source de
tendresse profondément enfouie mais non complètement
tarie. Nous avions déjà vu Thérèse pleurer, à côté d'Anne,
dans l'ombre, sur le banc du jardin ; c'étaient des larmes de
rage et d'envie ; aujourd'hui ce sont larmes de compassion :
Thérèse s'oublie pour pleurer sur son enfant.

Elle s'oublie à peine : le destin de Marie lui paraît prolonger
le sien. Mais cet instant suffit pour faire comprendre que
l'insensibilité, l'inattention aux autres, la méchanceté
n'étaient pas le lot nécessaire de Thérèse. Une autre scène
témoigne de cette Thérèse différente qu'elle aurait pu être,
sensible et aimante : à la fin du roman, Thérèse est surprise
par la question qu'enfin Bernard vient de lui poser : « C'était
parce que vous me détestiez ? » Elle porte alors sur « cet
homme nouveau » « un regard complaisant, presque maternel » (p. 121). Mais l'instinct de moquerie est le plus fort, qui
interrompt aussitôt ce bref élan du cœur.

4 Trois personnages clés : Bernard, Anne et Jean

Par leur pouvoir de séduction ou de répulsion, tous trois déterminent le destin de Thérèse. Tous trois se trouvent symboliquement réunis dans la chambre de l'hôtel parisien, dernière étape du voyage de noces. Bernard est là, bien sûr ; mais Anne est présente aussi, par ses lettres, et Jean, par sa photographie. On sait comment, par des gestes eux aussi symboliques, Thérèse va tenter de les réduire tous les trois à néant : elle déchire les lettres, elle en jette les morceaux par la fenêtre, dans « le gouffre de pierre » (p. 45) ; elle perce la photographie « à l'endroit du cœur » (p. 40), elle tire la chasse d'eau pour la noyer ; elle repousse « d'une main brutale » Bernard endormi, elle voudrait « le précipiter hors du lit, dans les ténèbres », « à jamais » (p. 44).

■■■■■ BERNARD DESQUEYROUX

Quelques détails, épars dans le roman, constituent un portrait incomplet mais cohérent.

Nous retenons du personnage « sa corpulence » (p. 79) de « gros mangeur » (p. 56), des « bras musculeux » (p. 37), une « forte main velue » (p. 80) aux « ongles mal tenus » (p. 90). Lorsqu'il se rase, son maillot de corps laisse voir « cette peau blême et soudain le rouge cru du cou et de la face » (p. 37). Cette rougeur s'accentue sous l'effet de la nourriture et de l'alcool : « Tout de suite après les premières lampées, il devint trop rouge » (p. 41). « Sa voix du nez » (p. 79), « son affreux accent » (p. 75) ou « son stupide rire » (p. 123) agacent Thérèse. Elle est gênée, la nuit, par les ronflements de Bernard, par la chaleur de « ce grand corps brûlant » (p. 44).

La forte présence physique de Bernard peut devenir insupportable pour Thérèse, se transformer en cette « réalité affreuse » (p. 79) qui obsède la jeune femme avant son meurtre.

Un homme de la lande

Des études de droit à Paris, des voyages à l'étranger « fortement potassés d'avance » (p. 26) ont donné à Bernard une finesse inhabituelle chez les hommes de son terroir. Thérèse reconnaît qu'il est « très supérieur à son milieu » : il a « de l'instruction », c'est « un homme avec lequel on peut causer » (p. 60). Mais il reste avant tout un « beau garçon campagnard » (p. 41), un homme de la lande, fidèle au patois, « aux manières frustes et sauvages » (p. 26). Il aime manger et boire, il périt d'ennui loin de ses fusils et de ses chiens (p. 36).

« Deux mille hectares »

Pour lui comme pour tous ceux de son pays, riches ou pauvres, de droite ou de gauche, « la propriété est l'unique bien de ce monde et rien ne vaut de vivre que de posséder la terre » (p. 59). Ce garçon au corps un peu lourd, à l'esprit solide, aux goûts simples, a paru à Thérèse l'homme le plus propre à lui assurer une sécurité qui lui manquait. Mais elle reconnaît que « les deux mille hectares de Bernard ne l'avaient pas laissée indifférente » (p. 31). Bernard, lui, a vu avant tout en Thérèse « la fille la plus riche » (p. 26) de la lande, celle dont les propriétés sont voisines des siennes ; d'elle pourrait naître « le maître unique de pins sans nombre » (p. 46).

Une « bonne organisation de la vie »

« Sage garçon » (p. 26), « garçon raisonnable » (p. 25), Bernard se marie à vingt-six ans après avoir fait « une part égale au travail et au plaisir ». « Méthodique » (p. 35), il ne laisse rien au hasard, il est fier de sa « bonne organisation de la vie » (p. 26). Il se conduit toujours « en homme qui a tout bien pesé » (p. 93) : persuadé qu'il a « un esprit droit et qui raisonne juste » (p. 93), il « sait toujours ce qu'il a à faire » (p. 73) ; en toute circonstance, il accomplit « son devoir » (p. 79).

Un Bernard « moins simple »

Bernard paraît donc en tout point conforme aux exigences de son milieu : il offre le type exemplaire du bourgeois sûr de lui, ayant famille honorable et vastes propriétés. Mais cette image stéréotypée parfois se complique ou se déforme. Thérèse elle-même reconnaît que Bernard vaut mieux que la caricature qu'elle en trace (cf. p. 26, 64). Sous la « dure écorce » de son mari elle devine « une espèce de bonté » (p. 26) : « le fiancé indifférent » (p. 27) n'était pas incapable d'un élan affectueux et savait l'interroger « tendrement » (p. 32).

Thérèse ne méconnaît pas non plus sa « justesse d'esprit, une grande bonne foi » (p. 27), son honnêteté intellectuelle : il accepte ses limites. « Un grotesque », « un imbécile » (p. 90, 92) ? Elle ne le pense que lorsqu'elle est irritée et déçue : quand elle découvre en Bernard un juge qui la condamne sans l'écouter.

Bernard appartient bien à « la race aveugle, à la race implacable des simples » (p. 30). Mais cette simplicité se trouble, au moment où il va se séparer de Thérèse et qu'une question, enfin, lui vient aux lèvres : « Pourquoi avez-vous fait cela ? » « Moins simple [...] donc, moins implacable » (p. 121), songe Thérèse. Bernard, il est vrai, n'est pas à l'aise dans la complication et le voici aussitôt redevenu « le Bernard sûr de soi et qui ne s'en laisse pas conter » (p. 123).

Fragilité de Bernard

Pourtant une fragilité profonde se devine que masquent l'assurance des gestes, le « ton péremptoire » (p. 79) des paroles. Le délire amoureux et la peur de la mort transforment Bernard. De l'homme pudique que scandalise un spectacle un peu osé, le désir, le plaisir font « ce fou, cet épileptique », ce « monstre » dont Thérèse redoute « les patientes inventions de l'ombre » (p. 35). Du solide campagnard au teint coloré, la peur de mourir fait ce malade peut-être imaginaire qui « sent » son cœur, ne mange plus, renonce à approcher sa femme et cherche dans le secours d'un médicament l'apaisement de ses angoisses.

■■■■■ ANNE DE LA TRAVE

« La petite »

Amie d'enfance puis belle-sœur de Thérèse, cette demi-sœur de Bernard Desqueyroux est née d'un second mariage de sa mère avec M. de la Trave. Anne est sans doute sensiblement moins âgée que Bernard ; avant son mariage, il la jugeait trop jeune « pour qu'il pût lui prêter quelque attention » (p. 25). Le romancier ne précise jamais son âge ; mais il souligne qu'au moment où elle s'éprend de Jean Azévédo – l'année du mariage de Thérèse – elle a moins de vingt et un ans, puisqu'elle assure « qu'elle tiendra jusqu'à sa majorité[1] » (p. 37) ; et nous comprenons que cette échéance n'est pas imminente. À côté d'elle, en dépit des liens d'étroite amitié qui les rapprochent, Thérèse fait figure d'adulte, manifeste sa maturité et parfois son autorité.

Dans les étés lointains d'Argelouse, mais encore au jour de son mariage et dans les mois qui suivent, la « petite Anne » (p. 72, 74), la « petite sœur » (p. 18), la « chère petite idiote » (p. 38) est pour Thérèse comme pour Jean une « petite fille » (p. 18, 40, 63, 73), « la petite » (p. 36, 37, 53). Chez Anne, tout paraît marqué de petitesse ou d'enfantillage : « petite figure » (p. 71), « petit visage » (p. 34), « bouche minuscule » (p. 27). Dans son chagrin, elle prend le « ton d'une enfant » (p. 73) ; heureuse, elle montre une « joie enfantine » (p. 33).

Un personnage qui s'efface

Ce personnage, que magnifie un moment la passion, manque d'étoffe. L'échec, la résignation achèvent de l'amoindrir : « réduite, elle avait perdu d'un coup sa fraîcheur. Ses cheveux trop tirés découvraient de vilaines oreilles pâles » (p. 76). Cette seule notation physique, bien insuffisante pour tracer un portrait, concorde avec d'autres signes d'un progressif épuisement : maigreur, « voix exténuée » (p. 71), « figure vieillie » (p. 72).

---

1. Âge légal à partir duquel une personne devient pleinement responsable. Cet âge était, à l'époque, de vingt et un ans.

L'image déjà ténue de l'adolescente tend à s'effacer. Ses traits mêmes cessent d'être visibles, « sa figure se dérobe » (p. 73) : le jour du mariage, quand « la gentille figure » paraît « barbouillée de poudre » (p. 34) ; à Vilméja, où l'adolescente effondrée cache sa tête dans ses genoux ; enfin, lors de la dernière visite à Thérèse, où son visage se dissimule sous un chapeau. Dans ce dernier épisode, le romancier détaille et commente la toilette de son personnage. Le fait est assez rare pour qu'on le note ; sans doute, Anne n'a-t-elle plus de consistance que par ses vêtements. N'est-elle pas présentée depuis longtemps comme un « fantôme » (p. 56), un « fantôme léger » (p. 73), comme un « néant » (p. 34) ?

Il n'est pas étonnant que, dans le roman et les nouvelles où réapparaîtra Thérèse, Anne ait disparu. Le paradoxe est, dans *Thérèse Desqueyroux*, qu'elle s'impose avant tout autre à la mémoire de Thérèse, qu'elle soit la première nommée par elle, comme par Jean Azévédo : « Anne… » Thérèse prononce son nom à haute voix dans le noir » (p. 20) ; « d'abord le nom d'Anne lui vint aux lèvres » (p. 62).

Ingénuité et violence

Anne a pour Jean le « charme d'une enfant délicieuse » (p. 62). Pour Thérèse, elle a été une « chère innocente » (p. 18), d'une pureté toute faite de l'ignorance où l'a laissée son éducation. « L'enfant, élevée au Sacré-Cœur » (p. 22), a été mise à l'abri, à l'écart du monde réel, de ses passions et de ses interrogations. « Aucune idée sur rien » (p. 28) chez cette « petite idiote », « cette couventine[1] à l'esprit court » (p. 38), incapable de curiosité et d'imagination et qui n'a lu « que les romans d'amour de L'Œuvre des bons livres[2] » (p. 49).

Pourtant, Anne peut s'éveiller à une vie violente ou ardente. Avant que ne la possède définitivement l'instinct maternel, l'enfant sage révèle, pour quelques minutes ou quelques mois, des ressources inattendues d'énergie et de désir. Elle est, au soir des étés d'autrefois, « la chasseresse » sensuelle et cruelle qui, « tout en caressant de ses

---

1. Couventine : jeune fille élevée dans un couvent.
2. L'Œuvre des bons livres : maison d'édition bien-pensante.

lèvres les plumes chaudes », étouffe, « d'une main précautionneuse » (p. 29), l'alouette qu'elle vient de blesser. Anne est encore l'amoureuse aux « paroles de feu » (p. 38), la révoltée qui échappe à ses parents, s'enfuit, court dans la nuit pour rejoindre celui qu'elle aime.

L'antithèse de Thérèse

La révolte d'Anne est de courte durée. Elle s'est résignée au voyage qui l'éloignait de Jean, elle ne dit plus non à son mariage avec le fils Deguilhem. Bien vite, Anne retrouve le destin qui depuis toujours lui est tracé ; elle est prête à « s'anéantir », « à perdre toute existence individuelle », à ne vivre que pour ses enfants « comme font toutes les femmes de la famille » (p. 115).

Anne rentre dans l'ordre ; mais Thérèse dévie toujours un peu plus hors du chemin tracé, refuse la condition qui lui est imposée par son milieu, revendique et conquiert sa liberté. Anne apparaît ainsi comme la figure antithétique de Thérèse. « Aucun goût commun » (p. 28) entre elles. Tout oppose « la lycéenne raisonneuse et moqueuse » (p. 18) et « l'enfant élevée au Sacré-Cœur » (p. 22), celle pour qui compte « la vie de l'esprit » (p. 65) et celle qui n'aime « que coudre, jacasser et rire » (p. 28), celle que son propre enfant n'intéresse pas et celle qu'attire un berceau. Par le contraste qu'il ménage entre ces deux figures féminines, Mauriac souligne l'originalité de Thérèse, ce qui la distingue du type commun de la jeune fille ou de la jeune femme provinciale.

■■■ JEAN AZÉVÉDO

Les parents de Jean, des Bordelais propriétaires à Vilméja d'une métairie proche d'Argelouse, sont d'ascendance juive. Le grand-père Azévédo, dit-on, « avait refusé le baptême » (p. 42). Jean, lui, va à la messe, mais l'intolérance et les préjugés de Bernard et des La Trave n'en sont pas diminués. Et peu importent l'ancienneté et l'importance, à Bordeaux, de ces familles « d'israélites portugais » (p. 42) : qu'Anne épouse un fils Azévédo est pour eux inacceptable.

Jean a le privilège d'un portrait qui lui assure dans le roman une exceptionnelle présence. C'est que Thérèse l'a regardé, et qu'elle l'a écouté. Sur sa photographie, Thérèse a pu « contempler » son image : dressé sur un talus, un jeune homme aux « cheveux épais » qui faisaient paraître la tête « trop forte » (p. 40). Quand elle le rencontre, elle remarque « de trop grosses joues » (p. 62), « un cou trop fort » (p. 65), « une bouche toujours un peu ouverte sur des dents aiguës : gueule d'un jeune chien qui a chaud » (p. 62). Assimilation significative : Jean n'a-t-il pas l'« avidité d'un jeune animal » (p. 63) ?

Une morale de la libération

Cette vitalité, cette surabondance se traduisent également dans la « volubilité » du jeune garçon. Son débit est « si rapide » (p. 63) que d'abord Thérèse suit mal un propos qui, en quelques instants, touche « à mille sujets » (p. 64). « Impudeur », « prétention », « affectation », ce sont les mots dont elle se servira plus tard lorsqu'elle évoquera une conversation – le plus souvent un monologue – qui alors l'a « éblouie » (p. 63-65). Adolescent sentencieux et disert, Jean parle comme les livres qu'il vient de lire ; il en tire la substance d'une morale de la libération, il y trouve une invitation à « se délivrer » (p. 70) des préjugés et des interdits pour aller jusqu'au bout des possibilités de son être.

Mais qu'il cesse un instant de disserter, le voici rendu à son naturel et à sa grâce juvénile : il a d'instinct « un geste d'enfant » (p. 66) pour montrer et cueillir un cèpe.

« Ce Parisien »

Avec Anne, Jean n'a fait que « jouer » (p. 62) ; il se soucie peu de se « charger à Paris d'une petite fille » (p. 63). Mais il n'a pas davantage l'intention de s'encombrer de Thérèse. Craignant qu'elle aussi ne le prenne « au mot » (p. 74), il s'abstient de répondre à la lettre qu'elle lui adresse à Paris : « Sans doute estimait-il que cette provinciale ne valait pas l'ennui d'une correspondance » (p. 74). En face de Thérèse, cette provinciale, Jean incarne en effet le type du Parisien à qui pèsent le silence et la solitude : il ne saurait « jeter l'ancre » (p. 63) dans le sable d'une lande perdue, ni vivre hors du cercle des amis dont il rappelle « sans cesse les propos ou les livres », loin de l'« élite nombreuse » de « ceux qui existent » (p. 65). Ce bavard a besoin d'un auditoire devant lequel il puisse briller ; son intelligence vive mais superficielle exige le tourbillon des idées. « La vie de l'esprit » compte pour lui « plus que tout » (p. 65) ; elle le prive de la vie du cœur, elle le laisse indifférent aux ravages que ses caresses ou ses théories peuvent provoquer chez Anne ou chez Thérèse.

5 Structure du roman

■■■■ DEUX SÉQUENCES EN TREIZE CHAPITRES

Les treize chapitres de *Thérèse Desqueyroux* sont brefs : aucun n'excède quatorze pages, le chapitre X n'en compte que cinq. Cette brièveté illustre la préférence du romancier pour une matière dense et une écriture rapide. Les chapitres les plus longs correspondent à des moments de plus forte tension ou de plus grande perplexité : chapitres IV, VI et VIII, consacrés au mariage, à la rencontre de Jean Azévédo et au crime.

Le roman s'organise en deux séquences inégales, la première couvrant les neuf premiers chapitres.

Chapitres I à IX : le retour de Thérèse

● Le retour à Argelouse

Après l'annonce du non-lieu, Thérèse revient à Argelouse. La calèche de son père conduite par Gardère, puis le train, puis la carriole de Balion la portent à la rencontre de son mari, de sa victime. Le Nizan, Uzeste (chapitre II), Villandraut (chapitre VI), Saint-Clair, Argelouse enfin (chapitre IX) sont, depuis B. (chapitre I), les quatre étapes d'un voyage inconfortable de plusieurs heures en pleine nuit.

● Un retour sur le passé

Ce déplacement dans l'espace s'accompagne d'un retour sur le passé. Dans la calèche qui la conduit à la gare, puis dans le train, Thérèse songe à ce qu'elle pourra dire à son mari et prépare « sa défense » (p. 23). Sa pensée remonte jusqu'à ses années d'enfance et d'adolescence où peut-être était déjà en germe l'acte qu'elle a commis.

S'efforçant de comprendre comment elle en est arrivée là, elle refait par la mémoire le chemin qui, d'étape en étape, l'a menée au crime. À Argelouse, s'est nouée son amitié pour Anne (chapitres II et III) ; à Paris, au retour de son voyage de noces, elle a appris la passion d'Anne pour Jean Azévédo (chapitre IV) ; à Saint-Clair, elle obtient d'Anne qu'elle parte pour Biarritz (chapitre V) ; c'est à Argelouse à nouveau qu'elle rencontre Jean (chapitre VI) et l'aide à écrire sa lettre de rupture avec Anne (chapitre VII) ; et c'est à Saint-Clair encore que naît Marie et que Thérèse va tenter d'empoisonner Bernard (chapitre VIII).

● **Plongées**

Les chapitres II à IX de *Thérèse Desqueyroux* sont des « tentatives de plongée[1] » dans le passé de Thérèse. De B. à Argelouse, le temps manque à Thérèse pour une chronique de sa vie ; par nécessité, elle ne ressuscite que les moments susceptibles d'éclairer le drame. Thérèse « cherche à se souvenir » (p. 31), « elle se souvient » (p. 14), « elle se rappelle » (p. 59), elle « voit surgir » (p. 27), elle « voit encore » (p. 37), elle « revoit » (p. 80), elle « retrouve dans son cœur » (p. 49) ; parfois elle « s'efforce de détourner sa pensée » (p. 71), « de chasser le souvenir » (p. 73) qui la gêne.

Chapitres IX à XIII :
de la séquestration à la libération

Au moment où Thérèse entre dans la maison d'Argelouse et se trouve en face de Bernard (chapitre IX), les années qu'elle a rappelées s'effacent derrière elle ; « Toute son histoire, péniblement reconstruite, s'effondre » (p. 86). Il ne s'agit plus pour elle de comprendre et de faire comprendre le passé, mais d'apprendre et de vivre l'avenir que Bernard lui a préparé. La voici prisonnière dans Argelouse jusqu'à sa libération au dernier chapitre.

Désormais le récit reprend un cours simplement chronologique pour raconter la séquestration de Thérèse, sa tentative

---

1. François Mauriac définit ainsi (*Plongées*, 1938, Avant-Propos, Pléiade t. II, p. 1048) deux nouvelles de 1933 : *Thérèse chez le docteur* et *Thérèse à l'hôtel*.

de suicide (chapitre X), cette sorte de folie où elle sombre peu à peu (chapitre XI), puis les soins que lui donne Bernard (chapitre XII), la liberté enfin qu'il lui accorde, pressé de se débarrasser d'elle (chapitre XIII).

▬▬▬▬ L'IMPOSSIBLE RAPPROCHEMENT DE THÉRÈSE ET BERNARD

Au mouvement qui ramène Thérèse à Argelouse et la rapproche de Bernard (chapitres I à X), répond un mouvement inverse qui l'éloigne sans retour de son pays et de son mari (chapitres X à XIII).

Thérèse a souhaité parler à Bernard, elle a voulu « se livrer à lui jusqu'au fond » (p. 18, chapitre II), afin de rendre à nouveau possible sa vie auprès de lui. Mais, puisqu'il ne veut pas l'écouter (chapitre IX), il faut qu'elle lui échappe. Dès le moment où Bernard a rendu le verdict familial qui l'enferme dans Argelouse, elle a tenté de s'évader : de s'enfuir, puis de se donner la mort (chapitre X) ; plus tard, dans l'ennui de son isolement, elle s'est évadée dans ses rêves. Chaque fois pourtant un obstacle l'a retenue : le manque d'argent l'empêche de fuir, la mort de tante Clara interrompt sa tentative de suicide, la lettre qui annonce le retour de Bernard l'oblige à renoncer au songe. Maintenant, pressé d'écarter au plus vite « cette femme terrible » « comme on va jeter à l'eau un engin qui d'une seconde à l'autre peut éclater » (p. 114, chapitre XII), Bernard va lui-même l'aider à réaliser sa fuite.

Pourtant, au seuil de la liberté, Thérèse hésite, saisie soudain du désir d'une autre aventure, intérieure celle-là : « une vie de méditation », qui pourrait se poursuivre auprès de son mari, « au pays secret et triste » (p. 122, chapitre XIII). Bernard de son côté éprouve un instant, au moment de la quitter, une tristesse inattendue. « Ils s'étaient rapprochés. » Tout semble à nouveau possible. Thérèse enfin peut parler à son mari, expliquer son crime.

Mais Bernard, un instant attentif, se montre décidément incapable d'écouter et de comprendre. Ce deuxième échec de Thérèse consomme la rupture définitive du couple.

6 Le jeu des points de vue

■■■■ LE POINT DE VUE DE THÉRÈSE

Au sens propre, un *point de vue* est l'endroit d'où l'on regarde. Le choix de cet endroit détermine le champ de vision et l'éclairage de l'objet regardé. Dans un récit, on appelle *point de vue* le regard à travers lequel nous parviennent les informations : dans *Thérèse Desqueyroux*, c'est par le regard de Thérèse, le plus souvent, que les êtres, les événements, les paysages sont perçus et nous apparaissent. Dans dix des treize chapitres du roman, elle est presque continuellement seule : seule pendant le temps de son voyage de B. à Argelouse (chapitres II à VIII), seule pendant le temps de sa séquestration (chapitres X et XI). Cette « condamnée à la solitude éternelle » (p. 17) n'a jamais personne auprès d'elle à qui parler ou qui veuille l'écouter ; elle est rejetée à ses pensées, à ses rêves. « Ainsi songeait Thérèse », « Thérèse songeait que… » (p. 71, 109, 119).

Le point de vue sur les êtres et sur les événements est donc, pour l'essentiel, le point de vue de Thérèse. Nous n'entendons que son témoignage, avec ce qu'il comporte nécessairement d'oubli ou d'erreur. Des faits lui échappent, une part des êtres lui reste inconnue ; ainsi devine-t-elle que Bernard vaut mieux que la caricature qu'elle en trace (p. 26) ; « Que sais-je de Bernard, au fond ? » (p. 64). Il y a les scènes qu'elle veut oublier, celles qu'elle choisit de retenir. Car le retour de Thérèse sur elle-même est orienté par son intention et par le caractère de la personne à qui elle va parler. Sa confession est en même temps un plaidoyer : Bernard n'est pas seulement le mari auquel on se confie, il est le juge qui va prononcer sa sentence.

■■■■ LE RÔLE DU NARRATEUR

Parfois le romancier se contente de laisser parler Thérèse : quelques phrases, un chapitre presque entier (chapitre VI), sont à la première personne. Plus souvent, le soliloque de Thérèse est rapporté à la troisième personne, au style indirect : « Thérèse songeait que... » (p. 109, 119), « Thérèse se souvient que... » (p. 30, 32, 53, 67), « il semble à Thérèse que... » (p. 16), « Thérèse sent profondément que... » (p. 98). La parole est alors donnée au narrateur qui nous apprend ce que Thérèse fait ou pense, ce qu'elle faisait ou pensait : « Au salon, Thérèse était assise dans le noir [...] Thérèse pousse la porte [...] Thérèse n'est pas assurée du néant » (p. 96, 98, 99).

Le narrateur est derrière Thérèse, qu'il observe et écoute ; mais il a aussi d'autres sources d'information, des connaissances qu'elle ne partage pas : « Elle ne savait pas que son père, les La Trave la peignaient sous les traits d'une victime innocente » (p. 102). Le narrateur est présent à des scènes où elle ne paraît pas.

■■■■ LE POINT DE VUE DES AUTRES PERSONNAGES

Le narrateur entre aussi et nous fait entrer dans d'autres consciences que celle de Thérèse. Les autres personnages retrouvent ainsi une certaine autonomie. C'est avec Bernard, le fils Deguilhem, Anne et Mme de la Trave que nous voyons Thérèse ouvrir la porte du salon d'Argelouse et paraître, saisissante de maigreur (chapitre XII) ; c'est avec tante Clara que, par le trou de la serrure, nous voyons Thérèse sourire en se tournant vers son mari (chapitre IX) ; avec Anne que nous la dévisageons : « Dans cette figure, qu'on eût cru rongée, Anne reconnaissait bien ce regard dont l'insistance naguère l'irritait » (p. 114). Balionte elle-même, simple servante, sait observer et garder en mémoire ; elle n'oubliera pas le visage de Thérèse, le soir où l'empoisonnement est découvert : « Balionte se souvient encore qu'elle était plus blanche que les draps » (p. 83).

C'est à Bernard qu'est accordée la plus grande présence, la possibilité de vivre un moment par lui-même : « Ainsi songeait Bernard » (p. 94), « Bernard devait se rappeler, bien des années après » (p. 113-114), « Il se disait que… » (p. 120) : un monologue intérieur s'ébauche qui assure au personnage une relative profondeur.

■■■ LE MÉLANGE DES POINTS DE VUE

Les pensées, les réflexions ou les souvenirs des autres personnages peuvent donc venir se mêler aux pensées, aux réflexions, aux souvenirs de Thérèse. Ainsi le souvenir de Balionte s'insère dans l'un des monologues intérieurs de Thérèse (p. 83). Ailleurs, le narrateur rappelle des propos dont il est précisé qu'ils ont été tenus en son absence : les La Trave « attendaient que Thérèse eût quitté la salle, pour se demander l'un à l'autre… » (p. 48).

Le chapitre XII offre un exemple remarquable de la multiplicité des points de vue. En nous faisant partager la vision des différents témoins, le narrateur nous donne d'une scène la connaissance la plus totale. Thérèse, le fils Deguilhem, Mme de la Trave, Anne, Bernard, puis à nouveau Anne, Thérèse, regardent, écoutent ou pensent, chacun pour soi, en l'espace de quelques pages (p. 112 à 117).

■■■ OMNISCIENCE DU NARRATEUR, INTRUSIONS D'AUTEUR

Le narrateur conjugue savoir et sagesse. Ici une réflexion s'énonce, là un commentaire s'ébauche, par lesquels il dégage une leçon générale. Nous reconnaissons la voix de Mauriac : « Rien n'est vraiment grave pour les êtres incapables d'aimer » (p. 92) ; « une lettre exprime bien moins nos sentiments réels que ceux qu'il faut que nous éprouvions pour qu'elle soit lue avec joie » (p. 36).

Mais l'intrusion d'auteur la plus remarquable reste celle du prologue : le romancier s'adresse à son personnage pour lui rappeler de quel regard perspicace il l'observe : « Thérèse, beaucoup diront que tu n'existes pas. Mais je sais que tu existes, moi qui, depuis des années, t'épie et souvent t'arrête au passage, te démasque » (p. 7). On notera encore cette page où, se faisant voix intérieure de Thérèse, il s'adresse de nouveau à elle à la deuxième personne : « Bernard se moque bien de tes arguments [...] tu ferais aussi bien de dormir » (p. 73).

■■■■■■ FRANÇOIS MAURIAC ET JEAN-PAUL SARTRE

Jean-Paul Sartre, dans un article de 1939, a vivement reproché à Mauriac ces interventions d'auteur et ces glissements d'un point de vue à un autre dans le cours d'un même chapitre. Il dénonçait les facilités que Mauriac, selon lui, s'était accordées.

L'attaque était violente et injuste. C'est à Sartre lui-même qu'il faut demander, vingt ans plus tard, le démenti de ses accusations : « Je crois que je serai plus souple aujourd'hui [...] je me suis aperçu que toutes les méthodes sont des truquages, y compris les méthodes américaines[1] ». En 1972, le critique Gérard Genette pouvait s'étonner d'une attaque aussi partiale et aussi mal fondée : « Qui prendrait au sérieux aujourd'hui les remontrances de Sartre à Mauriac ? » » « Les variations de "point de vue" », assurait-il, constituent « un parti narratif parfaitement défendable[2]. »

---

1. Entretien de Jacques-Alain Miller avec Sartre pour les *Cahiers libres de la jeunesse*, recueilli dans *L'Express* du 3 mars 1960. Allusion aux œuvres des romanciers américains, notamment Faulkner (1897-1962) et Dos Passos (1896-1970), qui refusaient le point de vue d'un narrateur omniscient et l'analyse psychologique, et privilégiaient l'observation des comportements et des gestes.
2. Gérard Genette, *Figures III* (Le Seuil, 1972, p. 211).

Le temps et l'espace

◼◼◼ LE TEMPS

Absence de repères historiques

Les romans de Mauriac n'accordent que peu de place aux événements historiques, mais quelques allusions leur suffisent pour fixer l'époque de l'action. Dans *Le Mystère Frontenac* (1933) ou *Le Nœud de vipères* (1932), par exemple, la guerre de 1914 sert de repère. Le dernier de ces deux romans fournit également des dates précises : de mariage, de naissance, toute une chronologie des moments essentiels de la vie des personnages. Dans *Thérèse Desqueyroux*, ces repères manquent. Nous savons seulement que nous sommes bien au-delà de l'affaire Dreyfus (1894-1899), souvent rappelée par tante Clara[1] ; que Bernard était enfant au moment de l'affaire de la séquestrée de Poitiers (1901)[2] ; que la politique française est marquée par l'opposition d'une gauche radicale[3] et anticléricale et d'une droite conservatrice et bien-pensante. Par les « anecdotes sinistres » (p. 60) de tante Clara, nous devinons l'existence de problèmes sociaux et Thérèse n'ignore pas le « conflit des classes » (p. 59).

● Une époque de transition

Une évolution se dessine dans les mœurs et les modes de vie. Bernard possède et conduit lui-même une automobile ; mais M. Larroque a encore calèche et cocher. Les maisons

---

1. Le capitaine Dreyfus, de famille juive, fut injustement accusé de trahison et condamné à la déportation à vie (1894). L'affaire, attisant l'antisémitisme, divisa profondément les Français.
2. Mélanie Bastian, d'une famille de la haute bourgeoisie de Poitiers, était enfermée depuis vingt-quatre ans par les siens, dans une chambre sordide, lorsque fut enfin dénoncée sa séquestration.
3. Voir la note de la page 23.

de Saint-Clair et d'Argelouse s'éclairent au pétrole ; une fois la nuit tombée, les seules lumières sont celles des feux, des lanternes, des bougies. En face d'Anne, élevée au Sacré-Cœur, Thérèse, qui a fait ses études au lycée, est déjà une femme moderne, aux manières plus libres ; elle lit, elle fume, elle se farde ; et ces façons de faire choquent sa belle-famille.

● **Effacement de la guerre de 1914-1918**

Jean Azévédo conseille à Thérèse de lire *La Vie du père de Foucauld* (p. 64). Cet ouvrage de René Bazin date de 1921. Lorsque, à vingt-six ans, Bernard épouse Thérèse, la guerre de 1914-1918 est donc derrière lui. Comment alors expliquer qu'elle n'ait tenu aucune place dans sa vie, qu'il ait échappé à la mobilisation et toujours disposé librement de son temps ? « Jusqu'à son mariage, il fit une part égale au travail et au plaisir » (p. 26) : rien ne paraît avoir troublé l'organisation méthodique de ses études, de ses voyages et de ses chasses. Quatre cruelles années sont effacées des mémoires ou de l'Histoire.

● **La société provinciale des années 20**

Ce parti pris d'annuler l'Histoire tient sans doute à la conception et à la signification du roman. Mauriac n'en a pas daté les événements parce qu'ils sont contemporains ou proches des années où il l'écrit ; il y peint la vie d'hommes et de femmes de son temps. Quant à l'ignorance des grands bouleversements qui s'opèrent dans le monde, elle tient au caractère de cette société provinciale que décrit Mauriac, société fermée, repliée sur elle-même. Ces propriétaires attachés aux domaines dont ils vivent s'en éloignent à contrecœur ; ils sont pressés, à chaque voyage, de revenir à leurs habitudes. Bernard ne lit que *La Petite Gironde* ; encore s'assoupit-il sur son journal.

Seule Thérèse, parce qu'elle veut être « une femme d'aujourd'hui » (p. 105), soupçonne qu'ailleurs, au-delà des limites de sa province, il se passe quelque chose : des esprits s'interrogent, des livres sont publiés qui proposent aux vieux problèmes des solutions neuves ; le monde change.

Mauriac, enfin, en négligeant de s'arrêter aux particularités d'une époque étroitement datée, marque sa volonté de peindre une vérité humaine qui est de tous les temps.

TABLEAU CHRONOLOGIQUE

Chapitres	Dates		Lieux	Événements
I 7 pages	Du crépuscule d'un jour d'automne…		B.	Annonce du non-lieu. Départ pour Argelouse.
II 8 pages			De la gare du Nizan	Thérèse cherche dans son passé les raisons de son crime :
	Les années d'autrefois		Argelouse	L'amitié d'Anne de la Trave.
III 9 pages	**Il y a deux ans :** • printemps			Fiançailles avec Bernard.
IV 14 pages	• juillet		Saint-Clair Paris	Mariage. Retour du voyage de noces.
V 8 pages	• août	RETOUR EN ARRIÈRE	Saint-Clair	Thérèse décide Anne à s'éloigner de Jean Azévédo.
VI 12 pages	• mi-octobre		Argelouse	Première rencontre de Thérèse et de Jean.
VII 7 pages	• fin octobre			Départ de Jean.
VIII 12 pages	**Il y a un an :** • janvier • de juillet à décembre • début déc. **Cette année**		Saint-Clair Argelouse	Naissance de Marie. Tentative d'empoisonnement. Le crime est découvert. Instruction en cours.
IX 10 pages				Thérèse séquestrée.
X 5 pages	… à l'aube du lendemain		… à la gare de Saint-Clair, puis à Argelouse	Tentative de suicide. Mort de tante Clara.
XI 9 pages	octobre			Départ de Bernard.
XII 10 pages	18 décembre			Retour de Bernard.
XIII 9 pages	mars		Paris	Séparation de Thérèse et de Bernard.

46

Chronologie des événements racontés

● **Récit du narrateur**

Le récit couvre une durée de six mois environ, depuis le soir pluvieux d'automne où Thérèse sort, libre, du palais de justice de B. jusqu'à ce « matin chaud de mars » (p. 120) où, à Paris, elle se sépare de Bernard. L'action des neuf premiers chapitres et d'une partie du dixième (voyage de B. à Argelouse, décision de Bernard dictée à Thérèse, tentative de suicide, mort de tante Clara, p. 9 à 99) se déroule, du crépuscule à l'aube, en une seule nuit. Celle des quatre derniers chapitres (séquestration, libération) se développe sur une durée de près de six mois.

● **Remémoration de Thérèse** (chap. II à IX)

Une allusion à l'enfance, des souvenirs non datés de l'adolescence (chap. II et III) précèdent un rappel plus suivi et plus circonstancié du printemps des fiançailles (chap. III) et des deux années de vie commune avec Bernard (chap. IV à VIII inclus). Les deux dernières pages du chapitre VIII évoquent enfin l'année de l'instruction du procès ; nous rejoignons ainsi l'action du chapitre I où le non-lieu met fin à l'enquête. Les chapitres III à IX couvrent donc, compte non tenu des souvenirs de l'adolescence, une durée de trois années.

● **La marche inégale du temps**

Quatre-vingt-onze pages (p. 9 à 99) pour évoquer un seul jour, six mois en vingt-neuf pages (p. 100 à 128) : le temps, dans le roman, marche d'un pas inégal. Pourtant, une même tension règne tout au long des treize chapitres.

En l'espace étroit d'une seule journée – de quelques heures du soir et de la nuit – les souvenirs de Thérèse se pressent et les événements se succèdent : non-lieu, verdict familial, tentative de suicide, mort de tante Clara. Le temps, au contraire, de la séquestration et de la convalescence ne peut s'emplir que de songes vains ; mais, condensé en quatre chapitres, il précipite dramatiquement Thérèse vers la déchéance, la folie peut-être, puis vers une liberté livrée au « hasard » (p. 128).

Le pays de Mauriac

Le « pays secret et triste » (p. 122) où Mauriac a situé l'action n'est pas un pays imaginaire. Le romancier le décrit tel qu'il l'a connu : là « s'écoulèrent », dit-il, ses « vacances d'écolier » dans le parc de la propriété familiale de Saint-Symphorien[1] (Saint-Clair, dans le roman).

L'imagination de Mauriac est ainsi nourrie de souvenirs et d'observations personnels. Il y recourt pour peindre, par de brèves et suggestives images, des moments de la vie provinciale et les particularités d'un terroir : longs repas de famille après lesquels, « sur la table desservie on apporte l'alcool » (p. 31), tandis que les hommes parlent de poteaux de mine, de gomme, de térébenthine ; repas de noces champêtres « où plus de cent métayers et domestiques » mangent et boivent « sous les chênes » (p. 34) ; réceptions un peu guindées dans les salons humides des vieilles maisons. Mauriac évoque encore les chasses à la palombe ; il rappelle la terreur des incendies de forêts et cette prudente habitude de toujours écraser avec soin sa cigarette, « comme font les Landais » (p. 120). Nous savons enfin que Bernard parle couramment le patois avec ses métayers et qu'il a l'accent du pays : un accent que Thérèse trouve « affreux » (p. 75) et qui, selon elle, « fait rire partout ailleurs qu'à Saint-Clair. »

La petite Gironde

Bernard a visité l'Italie, l'Espagne et les Pays-Bas ; il a, pour leur voyage de noces, emmené Thérèse aux lacs italiens. Mais de ces voyages, pas une image ne nous est rapportée. La vraie vie, pour les La Trave, les Desqueyroux, les Larroque, ne saurait se concevoir hors de la « petite Gironde » : franchir les limites des Landes et du Bordelais, c'est pénétrer en terre lointaine.

---

1. François Mauriac, *Mémoires intérieurs*, 1959.

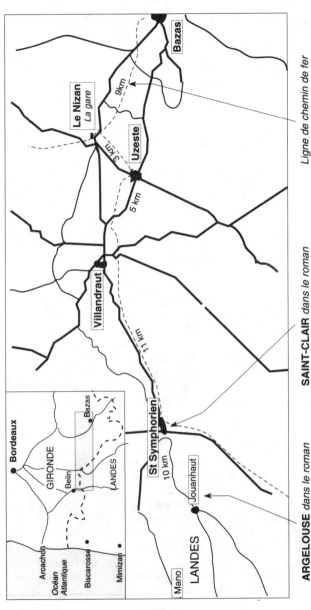

Bazas

9km

Le Nizan
La gare

Uzeste

3 km

5 km

Villandraut

11 km

St Symphorien

10 km

Jouanhaut

Mano

LANDES

Bordeaux

GIRONDE

Bazas

LANDES

Belin

Océan
Atlantique

Arcachon

Biscarosse

Mimizan

Ligne de chemin de fer

SAINT-CLAIR *dans le roman*

ARGELOUSE *dans le roman*

● Un cercle étroit

Mais la vie de Thérèse et de Bernard s'inscrit à l'intérieur d'un cercle plus étroit encore, dont le rayon n'excède pas une dizaine de kilomètres et dont le centre est Argelouse. D'ici, la sous-préfecture de B., où réside M. Larroque, apparaît déjà comme un lieu lointain qu'on n'atteint qu'au terme d'un véritable voyage. Et l'on ne va à Bordeaux que dans des cas d'urgence, parce qu'on sait y trouver, s'il le faut, un avocat, un médecin réputé, une clinique où hospitaliser un grand malade.

Tante Clara est « incapable de vivre ailleurs qu'à Argelouse » (p. 75). C'est à Argelouse que Thérèse aime à passer ses vacances de lycéenne ; c'est là que, chaque automne, Bernard revient pour le temps de la chasse ; c'est là que les jeunes mariés s'installent au retour de leur voyage de noces, après un bref séjour à Saint-Clair ; c'est encore là que Bernard se fait transporter pendant sa maladie, avec l'espoir d'être guéri pour la chasse à la palombe. Thérèse retourne à Argelouse après chaque interrogatoire du juge d'instruction ; elle y revient, prisonnière de son mari, une fois le non-lieu prononcé ; elle rêve d'y vivre à nouveau quand, à Paris, il lui semble un instant que Bernard pourrait lui pardonner.

Argelouse est la terre reçue en héritage. Quittant Argelouse pour Paris, Thérèse laisse les domaines et les vieilles maisons de famille pour des chambres d'hôtel ou des appartements en location ; commence pour elle une vie « au hasard » (p. 128), sans forme ni but parce qu'elle n'a plus de lieu.

● Argelouse : pays de la mort

Pourtant le romancier décrit aussi Argelouse comme une « lande perdue » (p. 70), coupée du monde, « une extrémité de la terre » (p. 24). Argelouse cesse alors d'être le lieu autour de quoi la vie s'ordonne, pour devenir un lieu d'exil.

Au-delà, commence « le pays de la soif » (p. 28) et de la mort : « jusqu'à l'océan, il n'y a plus rien que quatre-vingts kilomètres de marécages, de lagunes, de pins grêles, de landes où, à la fin de l'hiver, les brebis ont la couleur de la cendre » (p. 24). Déjà, l'héroïne de *Conscience, instinct divin*, première ébauche de *Thérèse Desqueyroux*, y trouvait l'image du royaume des morts : « J'ai toujours imaginé sous cet aspect, disait-elle, le morne pays des ombres où grelottent les âmes désincarnées. »

Ainsi ces lieux bien réels se chargent, dans le roman, d'une forte valeur symbolique. L'espace fermé qu'ils délimitent est celui d'une prison qui n'a que la mort pour issue. Thérèse est venue se prendre dans ce piège, comme ces palombes captives qui se débattent en vain dans le sac de Bernard (p. 70). À Saint-Clair, « la lourde porte » s'est « refermée » sur elle le jour de son mariage. À Argelouse, où la pluie d'automne multiplie autour d'elle « ses millions de barreaux mouvants » (p. 75), Thérèse a été condamnée à un « étouffement lent » (p. 93).

Le pays secret et triste : une image de Thérèse

« J'ai été créée, dit Thérèse, à l'image de ce pays aride et où rien n'est vivant, hors les oiseaux qui passent, les sangliers nomades » (p. 89). Ici, les mêmes instincts, une même inquiétude rapprochent les bêtes, les plantes et les hommes. Thérèse a partie liée avec les grandes forces naturelles, celles du soleil, du feu, du vent, de la pluie ; les torpeurs et les fureurs de son âme imitent les sommeils et les déchaînements d'une nature à la fois monotone et violente.

Dans ses moments de détresse, seul un cataclysme pourrait s'accorder au désespoir de Thérèse. Elle appelle de ses vœux un tremblement de terre (p. 16) ; elle imagine une pluie sans fin : « Il pleuvra jusqu'à la fin du monde » (p. 106) ; ou une sécheresse éternelle : « Il ne pleuvrait jamais plus » (p. 60). Elle voudrait que le feu fasse rage, embrasant les pinèdes et les bourgs, obscurcissant l'aube, salissant la lumière du jour (p. 60).

Ainsi, autour d'elle, se transfigure le « pays secret et triste » (p. 122). Il devient le décor de son drame personnel ; elle y projette ses angoisses ou ses hantises, tout autant qu'elle en subit le silence et la solitude. « Créée à l'image de ce pays », Thérèse le recrée à sa propre image.

8 Famille, bourgeoisie, province

■■■■■ CONFORMISME ET FAUX-SEMBLANTS

« Ici, toutes les voitures sont "à la voie", c'est-à-dire assez larges pour que les roues correspondent exactement aux ornières des charrettes » (p. 65). « Bernard était "à la voie", comme ses carrioles » (p. 126), comme le cabriolet de tante Clara (p. 75). Les pensées de Thérèse, jusqu'à sa rencontre avec Jean Azévédo, ont été, elles aussi, « à la voie » (p. 65) de son père et de ses beaux-parents : conformes à la norme. La peur de « dévier » (p. 45) – de sortir de la voie tracée –, Thérèse elle-même la connaît. Dans le milieu bourgeois décrit par Mauriac, il importe avant tout de « bien penser » : d'avoir des « idées saines » (p. 30), des principes, du bon sens, un bon genre, de bonnes manières ; de lire de « bons livres » (p. 49). Les idées reçues y constituent un héritage de préjugés qu'on se garde de mettre en question ; elles se traduisent par des pratiques de pure convention et elles s'expriment volontiers sous la forme de lieux communs et d'expressions toutes faites.

Lieux communs

Ainsi, Bernard s'en tient aux définitions établies, aux jugements péremptoires par lesquels les gens de son milieu ont une fois pour toutes décidé la différence du bien au mal, du sain au malsain. Il pense et parle par formules ou par proverbes. « C'est la santé » (p. 70), aime-t-il à dire en comptant les gouttes de son médicament. C'est une maladie, par contre, d'être juif : les Azévédo ne sont-ils pas « avec ça, tuberculeux : toutes les maladies » (p. 32) ? Bernard déplore l'éducation pernicieuse qui, selon lui, a perverti Thérèse ; il regrette qu'elle n'ait pas « cru en Dieu » et redouté le châtiment céleste : « La peur est le commencement de la sagesse » (p. 94).

Sa mère, Mme de la Trave, est une virtuose du cliché ; ses propos forment un recueil d'expressions stéréotypées, de lieux communs mis bout à bout. La parfaite banalité de son langage révèle la banalité totale d'un esprit occupé de petites malveillances, de petits calculs : « Le père pense mal, c'est entendu », disait-elle de M. Larroque, avant le mariage ; mais « il a le bras long. On a besoin de tout le monde » (p. 30) : n'est-il pas bon « d'avoir un pied dans les deux camps » (p. 26) ?

Un christianisme de façade

Le catholicisme des La Trave et de Bernard Desqueyroux n'est qu'un catholicisme de tradition et de convenance, non une foi authentique. Parce qu'elle n'est pas le vrai principe de leur vie, leur religion ne les engage pas plus que son radicalisme[1] n'engage M. Larroque. Ils ont en fait la même raison de vivre que ce dernier, le même credo : « La propriété est l'unique bien de ce monde, et rien ne vaut de vivre que de posséder la terre » (p. 59). Les La Trave donnent à leur fille une éducation religieuse ; ils assistent à la messe dominicale, ils ont leur idée sur la bonne marche d'une paroisse et les vertus d'un curé ; Bernard, en suivant la procession de la Fête-Dieu, accomplit « son devoir » (p. 79). Mais on ne trouve chez eux aucun esprit de prière, aucune dévotion réelle. Ils confondent la piété avec l'onction ou avec l'exactitude des pratiques. Ils manifestent un manque total de charité, un parfait contentement de soi. En pratiquant, ces bourgeois affichent leur appartenance à la bonne société ; ils se font et se sentent respectables ; ils aident aussi au maintien de l'ordre : que ne peut-on craindre de ceux qui pensent mal, d'une Thérèse, par exemple, pour qui la messe « ne signifie rien » (p. 104) ? Cette manière d'être chrétien s'accommode des préjugés les plus malveillants, préjugés de race en particulier : « tous les juifs se valent » (p. 42), pense Bernard, méprisant.

---

1. Voir note 1, p. 23.

■■■■■ LE CULTE DE L'ARGENT

Leur catholicisme s'accommode aussi du culte de Mammon, dieu de l'argent. Faire fortune, accroître cette fortune, étendre son domaine, semble au moins aussi important que faire son salut. À la valeur de l'argent un hommage constant est rendu. Un homme comme Bernard en sait toujours le prix ; sans être avare, il ne manque jamais de faire remarquer ce que lui coûte au restaurant le repas qu'il offre, le vin qu'il commande ; quand il quitte Thérèse à la terrasse d'un café parisien, sa dernière parole est pour lui rappeler « que les consommations étaient payées » (p. 127).

■■■■■ L'ESPRIT DE FAMILLE

« Pour la famille », « au nom de la famille », dans « l'intérêt de la famille », « pour l'honneur de la famille » (p. 11, 84, 91) : dans la bouche de Bernard ou de Jérôme Larroque, ces formules solennelles appellent le dévouement de tous les membres d'une famille bourgeoise à la valeur qui la fonde, la respectabilité. Toute personne de la famille qui la déshonore doit « disparaître » (p. 69), être « effacée » (p. 12) ; tout scandale qui la menace doit être « étouffé » (p. 30). Il faut que tous s'emploient à « recouvrir », à « ensevelir leurs ordures » (p. 43), à « faire le silence » (p. 69) ; au moins doivent-ils « sauver la face » (p. 93).

Mariages de propriétés

Le mariage ne fait pas exception aux principes qui gouvernent ces familles. L'amour y serait un intrus. Que Thérèse paraisse « en adoration » (p. 31) devant son fiancé peut satisfaire mais aussi surprendre Mme de La Trave : Thérèse et Bernard étaient destinés l'un à l'autre « parce que leurs propriétés semblaient faites pour se confondre » (p. 26). Et Anne, en dépit de sa répugnance, épousera le fils Deguilhem : les Deguilhem « ont les plus beaux pins du pays et Anne, après tout, n'est pas si riche » (p. 45). Thérèse en convient : « Il ne fallait à aucun prix qu'Anne manquât le mariage Deguilhem » (p. 45). De ces mariages de propriétés, les enfants qui vont naître feront l'orgueil de la famille, parce qu'ils régneront sur de vastes domaines : Bernard « contemplait avec respect la femme qui portait dans ses flancs le maître unique de pins sans nombre » (p. 46).

■■■■■ LE PORT OBLIGATOIRE
D'UN MASQUE

« Ici, vous êtes condamnée au mensonge jusqu'à la mort »

Éprise de liberté, Thérèse voit dans « l'esprit de famille » (p. 99, 100) ainsi compris un écrasant pouvoir d'asservissement. De « cette cage aux barreaux innombrables et vivants, cette cage tapissée d'oreilles et d'yeux » (p. 43), elle va tenter de s'évader ; elle rêve d'« être sans famille » ou du moins de « choisir *les siens* » (p. 106), afin d'avoir le droit et la possibilité d'être elle-même. En elle, Jean Azévédo a deviné « une faim et une soif de sincérité » (p. 69).

Mais, dans le milieu où elle vit, le mensonge lui est imposé. Toute tentative de franchise, tout « cri sincère » (p. 77) qui lui échappe se heurtent au refus d'écouter ou de prendre au sérieux ; son mari, ses parents s'emploient à rappeler Thérèse aux convenances, à la simplicité, à l'opinion commune. Se « masquer », « donner le change » (p. 96) est le seul moyen dont elle dispose pour les satisfaire. Bon gré mal gré, il lui faut « jouer un personnage, faire des gestes, prononcer des formules » (p. 124). Un sourire de façade, des joues et des lèvres fardées « avec minutie » (p. 128), telle est l'image soigneusement retouchée qu'elle offre d'elle.

La dissimulation, une seconde nature

On ne lit rien dans ses yeux, on ne sait pas ce qu'elle pense. La dissimulation est devenue chez Thérèse comme une seconde nature. Elle masque à son amie Anne sa peine de ne pas la voir venir aussi souvent qu'elle le désire : « Oui, oui [...] surtout ne t'en fais pas une obligation : reviens quand le cœur t'en dira » (p. 29). Elle masque à Bernard l'insatisfaction de sa chair. Elle ne laisse rien voir à Jean de son désarroi, de ses complications : « Que pouvait-il comprendre à cette simplicité trompeuse, à ce regard direct, à ces gestes jamais hésitants ? » (p. 74). Volontairement ou non, Thérèse ne donne jamais d'elle-même qu'une image mensongère.

Thérèse démasquée

Le regard indiscret du romancier surprend parfois son vrai visage. Point de témoins : Thérèse a cessé un instant de se contraindre, ou bien la fatigue, l'émotion, l'angoisse ont eu raison de sa volonté ; une nouvelle Thérèse apparaît, méconnaissable. La voici dans la calèche obscure, à l'abri des curiosités : « Une jeune femme démasquée caresse doucement avec la main droite sa face de brûlée vive » (p. 17). Dans la chambre de l'hôtel parisien où Bernard vient de la laisser seule, elle se transforme soudain en « un être inconnu [...] une créature étrangère et sans nom » (p. 38). Le jour de son mariage, au milieu de la foule, Thérèse se sent soudain « perdue » ; elle paraît alors si changée qu'on la reconnaît à peine : « Elle ne se ressemblait pas, c'était une autre personne » (p. 34). Une autre fois, emportée par sa rêverie, elle laisse son visage à nu devant Bernard : « Voyons, Thérèse, ne fais pas cette figure : si tu te voyais... » (p. 43).

Aussitôt, pour qu'on ne lise pas davantage en elle, Thérèse « se remasque » : elle sourit, elle compose à nouveau ses traits.

Le drame de la solitude

▮▮▮▮ L'ISOLEMENT

« Emmurée vivante » (p. 88) : c'est ainsi que le romancier qualifie tante Clara ; mais l'expression vaudrait pour Thérèse et, d'une certaine façon, pour tous les personnages du roman. Entre eux, en effet, quelle communication serait possible ? Toute conversation ressemble à celles que l'on tente d'engager avec la vieille demoiselle sourde. Encore tante Clara fait-elle effort pour déchiffrer sur les visages, pour deviner aux mouvements des lèvres les paroles qu'elle n'entend pas. Mais Bernard, M. Larroque ou les La Trave se croient bons entendeurs. Ce qu'ils ne comprennent pas, ils le jugent boutade ou folie.

L'impossible entente conjugale

Bernard demande : « Est-ce que j'ai pris mes gouttes ? Et sans attendre la réponse, de nouveau il en fait tomber dans son verre. Elle s'est tue par paresse sans doute, par fatigue » (p. 81). Ce dialogue qui ne s'engage pas, cet échange manqué illustre dans le roman l'impossibilité ou le refus d'une communication entre les personnages. Le sentiment que toute parole est vaine, la certitude de n'être pas écoutée de Bernard font renoncer Thérèse, au dernier instant, à la confession qu'elle a pourtant longuement préparée : « À quoi bon parler ? » (p. 13) ; « le plus simple sera de se taire » (p. 86).

Hors l'amour des pins qu'ils partagent, tout sépare ces deux êtres. Ils n'ont en commun aucun langage, ni celui des mots : « Ils donnaient aux mots essentiels un sens différent » (p. 77) ; ni celui des gestes : les façons de faire de

Bernard déplaisent à Thérèse et celles de Thérèse – sa manière, par exemple, d'allumer une cigarette – choquent son mari ; ni le langage des corps.

La possession, loin de découvrir à Thérèse la volupté, l'a enfoncée dans sa solitude. Étrangère au « délire » de Bernard « enfermé dans son plaisir » (p. 35), elle a vu avec stupeur la jouissance le changer en un « monstre », un « fou » qui lui faisait horreur. Méthodique en amour comme en tout ce qu'il fait, Bernard aurait pu éveiller en sa femme la sensualité. Mais il lui aurait fallu comprendre que ses gestes la rebutaient. Or il ne cherche pas à comprendre, étant « celui qui ne s'est jamais mis, fût-ce une fois dans sa vie, à la place d'autrui ; qui ignore cet effort pour sortir de soi-même » (p. 89). Thérèse, de son côté, n'a voulu montrer ni son inquiétude ni sa déception. L'égoïsme de Bernard, la dissimulation de Thérèse rendent insoluble leur incompréhension.

Les amitiés décevantes : Anne et Jean

Avec Anne, qui aimait seulement « jacasser » et n'avait « aucune idée sur rien », Thérèse ne peut avoir de conversation : « Rien à se dire ; aucune parole. » « Aucun goût commun, hors celui d'être ensemble » (p. 28). Le jour de son mariage, en embrassant Anne dans la sacristie, Thérèse a soudain le sentiment de l'insignifiance de son amie ; Anne ne justifiait en rien l'amitié ardente que lui portait Thérèse dans les « beaux étés » (p. 22) d'Argelouse. La gracieuse jeune fille n'avait été que l'objet dérisoire – « ce néant » (p. 34) – d'une passion sans emploi. Ignorance, futilité, sécheresse de cœur, voilà ce que cachait la gentillesse de la « chère petite idiote » (p. 38).

De cette déception naîtront la jalousie et la froide résolution de détruire le bonheur d'Anne, le jour où Thérèse apprend que son amie est capable d'éprouver, pour un autre, une passion brûlante. Anne, de son côté, ne pardonnera pas à Thérèse de l'avoir trahie en aidant les La Trave à la détacher de Jean ; entre elles désormais le silence s'installe : « Je ne voyais Anne qu'aux repas, et elle ne m'adressait plus la parole » (p. 76).

Quant à Jean, il a surpris Thérèse par la vivacité de son esprit et de sa parole, par sa manière de rajeunir les « mille sujets » (p. 64) auxquels il touche dans le temps d'une promenade. Il l'arrachait à ses préjugés ; il exaltait sa soif de liberté. Elle a cru alors comprendre qu'elle n'était plus seule ; une famille selon son cœur lui était ouverte, cette « élite nombreuse » (p. 65) à laquelle Jean appartenait, tout adonnée aux plaisirs de l'esprit et de l'amitié.

Déjà pourtant, cette conversation n'est pas un vrai dialogue : « Je l'écoutais sans l'interrompre » (p. 63) ; « Jean parlait et je demeurais muette » (p. 65). Et l'intarissable bavardage du jeune homme vient à son tour à s'épuiser : « Nous ne trouvâmes plus rien à nous dire » (p. 65).

Après le départ de Jean pour Paris, une lettre que lui adresse Thérèse reste sans réponse : le silence d'Argelouse retombe, plus pesant.

Plus tard, Thérèse reconnaîtra la vanité de ces discours brillants ; elle découvre la faiblesse d'une morale faussement parée d'héroïsme ou d'un mysticisme de mauvais aloi, la pauvreté de ce nietzschéisme sommaire : « Je crois bien que je vomirais aujourd'hui ce ragoût » (p. 64). Elle en niera l'influence : « Cette importance qu'il lui avait plu d'attribuer aux discours du jeune Azévédo, quelle bêtise ! » (p. 96).

Thérèse et le curé : une impossible rencontre

Le curé de Saint-Clair est, paradoxalement, celui que tout rapproche de Thérèse : « Ce prêtre jeune encore, sans communication avec ses paroissiens qui le trouvaient fier », n'a « aucun ami » (p. 76) ; « différent des autres, lui aussi avait pris un parti tragique ; à sa solitude intérieure, il avait ajouté ce désert que crée la soutane autour de l'homme qui la revêt » (p. 77).

Pourtant le dialogue entre ces deux solitaires n'aura pas lieu. Tout l'interdit : le poids de l'opinion publique, la décision de Bernard qui « dispense » (p. 104) Thérèse de la messe et, à la messe même, « cet espace vide » devant elle, qui la sépare de l'« homme déguisé » (p. 100).

Une solitude recherchée

L'échec ou l'impossibilité de toute relation authentique avec les autres renvoie Thérèse à elle-même. Et la maternité ne l'arrache pas à sa solitude : « Avec cette chair détachée de la sienne, elle désirait ne plus rien posséder en commun » (p. 78). « Je suis remplie de moi-même [...] je m'occupe tout entière » (p. 115).

La vie de Thérèse est ainsi une constante et maladroite affirmation de soi. Des autres, elle guette un regard, elle veut exister à leurs yeux, telle qu'elle est, non telle qu'ils la veulent. « Et moi, alors ? et moi ? » (p. 40), « Mais moi, mais moi, mais moi... » (p. 97, 115) est le cri de sa revendication. Mais comment, s'ils en avaient le désir, les autres pourraient-ils, comme elle le souhaite, la regarder, l'écouter et la comprendre ? À la seule personne qui lui porte un véritable amour, tante Clara, Thérèse n'a pas caché que sa présence l'importunait parfois, dans les moments où « la jeune femme souhaitait d'être seule » (p. 95). « Me retrouver seule avec moi-même » (p. 116) : c'est le vœu de Thérèse, qu'elle soit en train de penser à sa fille ou de dîner au restaurant avec Bernard.

Une solitude infligée

« À Argelouse... jusqu'à la mort » (p. 92) : Bernard vient de condamner Thérèse à une définitive solitude. L'isolement absolu qu'elle va connaître dans « le silence d'Argelouse » (p. 119) la livre à la tabagie, aux « imaginations nocturnes », aux « songes » (p. 106). Elle s'enfonce dans sa nuit, trouvant dans la seule douleur « sa raison d'être au monde » (p. 109). Quand prend fin l'« agonie interminable » (p. 97) de sa séquestration, son « corps détruit » (p. 113) impose à Bernard l'impressionnante image de la séquestrée de Poitiers (voir plus haut, p. 44, note 2).

Éternelle captive, prisonnière de la cage familiale, Thérèse ne voit s'ouvrir la porte de son cachot qu'aux dernières pages du roman. Elle peut enfin « prendre le large » (p. 118) ;

mais elle ne s'évade pas de la prison qu'elle est pour elle-même, elle n'échappe pas à la « solitude sans bornes » qui lui est attachée « plus étroitement qu'au lépreux son ulcère » (p. 87). À cette « solitude éternelle » (p. 17) à laquelle elle semble condamnée, le romancier chrétien oppose pourtant, à la dernière phrase du roman, sa propre foi en une présence divine qui est tout amour pour chaque créature : « sur ce trottoir où je t'abandonne, j'ai l'espérance que tu n'es pas seule. »

Images de captivité

Le drame de cette existence captive suscite toute une imagerie de l'incarcération et de l'encerclement. Le jour de son mariage, « la lourde porte » (p. 33) de « la cage » se referme sur Thérèse : cage de la famille, « aux barreaux innombrables et vivants » (p. 43, 7) ; la pluie aussi l'enferme derrière ses « millions de barreaux mouvants » (p. 75) ; Thérèse croit la maison cernée par « l'armée ennemie » des pins, « gardiens » (p. 93) de sa prison. Elle croit s'enfoncer « dans un tunnel » (p. 71, 83). Ces images carcérales ou obsidionales (hantise d'être assiégé) s'accompagnent d'une sensation d'étouffement, d'asphyxie. Les palombes qui se débattent, captives du sac où les a enfermées Bernard (p. 70), l'alouette que serre et qu'étouffe la « main précautionneuse » (p. 29) d'Anne, sont des métaphores de la situation de Thérèse.

Cette imagerie contamine l'ensemble du récit : voici Anne en « garde à vue » (p. 39) dans la maison de Saint-Clair, enfermée derrière « les grilles » (p. 47-48) du jardin ; voici Bernard, « enfermé dans son plaisir comme ces jeunes porcs charmants qu'il est drôle de regarder à travers la grille » (p. 35) ; voici enfin tante Clara, « emmurée vivante » (p. 88) par sa surdité.

10 Crime, culpabilité, pardon

▬▬▬ HISTOIRE D'UN CRIME

Crime sans châtiment

Thérèse ne comparaîtra pas devant un tribunal. Elle ne sera pas « livrée aux avocats » (p. 7), aux jurés et au public. Dès la première page du roman, en effet, nous apprenons qu'un non-lieu vient d'être prononcé : Thérèse n'est plus inculpée.

Le choix du romancier éclaire son intention : montrer comment une famille bourgeoise s'emploie à soustraire l'un des siens à la justice, afin d'« étouffer le scandale » (p. 94).

Une fois le procès évité grâce à ses faux témoignages, la famille se substitue à la société pour châtier la coupable. Il s'agit maintenant pour elle de mettre la meurtrière hors d'état de lui nuire, et de faire « disparaître » (p. 69) le « monstre » (p. 93) qui la déshonore. La réclusion en est le moyen, puis l'immersion en plein Paris, où Thérèse va « se noyer » (p. 102) dans « le flot humain » (p. 120).

Crime sans mobile

« Pourquoi avez-vous fait cela ? » (p. 121) Cette question que pose Bernard, Thérèse elle-même en ignore la réponse : « Je ne sais pas ce que j'ai voulu » (p. 19) ; « Je ne sais pas pourquoi j'ai fait cela » (p. 122). Elle essaye de trouver cette réponse dans le long retour sur elle-même des chapitres II à IX. Le dernier entretien avec Bernard lui offre à nouveau l'occasion de chercher le ou les « parce que » qui éclaireraient son geste.

Quête difficile et peut-être vaine. Son acte, elle le devine, vient de « mille sources secrètes » (p. 91). Pour Bernard, le mobile est évident : Thérèse a fait « cela » « à cause des pins » (p. 92) : pour devenir seule propriétaire d'un immense domaine. Bernard manque d'imagination ; il ne pourrait suivre Thérèse dans le dédale de ses souvenirs, sur la « route tortueuse » (p. 47) de ses pensées, de ses désirs, de ses tentations. Il lui faut des faits, une explication rapide et simple. Autant dire qu'il ne saura rien. Le chemin compliqué et incertain qui l'a menée au crime, Thérèse, elle, s'est efforcée de le remonter, obstinément, douloureusement, « jusqu'à l'enfance » (p. 21) : l'histoire de son crime tend ainsi à se confondre avec l'histoire de sa vie.

● Anne et Jean

Dans « ce lacis de défilés, de passages » (p. 20) où Thérèse s'est engagée, Anne d'abord apparaît : l'insatisfaction, la jalousie, la volonté enfin de détruire, voilà ce qu'Anne, à son passage, a fait lever d'empoisonné dans le cœur de Thérèse (p. 18-19).

Jean Azévédo occupe, lui aussi, une place essentielle dans cette histoire d'un crime. Jouant le rôle du tentateur, il a pressé Thérèse de s'arracher au « morne destin commun » (p. 68). Et l'éclat de son intelligence a contribué à dégrader, aux yeux de Thérèse, l'image de son mari : « Bernard prenait une réalité affreuse » (p. 79). Dès lors, Thérèse ne voit plus en lui que la vulgarité de ses manières, que sa corpulence, elle n'entend plus que son nasillement ou ses ronflements. Pour « se délivrer » (p. 70), il lui faut « l'écarter une fois pour toutes et à jamais » (p. 44). « C'était comme un devoir » (p. 124).

● Une interrogation sur le mystère de nos actes

Une dernière explication se propose quand, au moment de leur séparation, Bernard paraît à Thérèse « moins simple », moins assuré, plus accessible : « Il se pourrait que ce fût pour voir dans vos yeux une inquiétude, une curiosité – du trouble enfin : tout ce que depuis une seconde j'y découvre » (p. 122). « Il se pourrait que »… Simple hypothèse dénuée de certitude, rien qui ressemble à la solution exacte du problème.

Thérèse Desqueyroux est bien, pour l'essentiel, l'histoire d'un crime, mais d'un crime dont les mobiles échappent à celle même qui l'a commis. L'enquête intérieure menée par

Thérèse éclaire le personnage mais ne livre pas son secret ; elle précise les données du problème sans parvenir à le résoudre.

Ce qui aurait pu être le banal récit d'un fait divers, Mauriac l'a ainsi transformé en une interrogation sur le mystère de nos actes. Il écarte une psychologie superficielle qui imposerait à la personne une illusoire cohérence ; il cherche au contraire la vérité de son personnage dans ses contradictions, dans ses inconséquences. Comme les héros « déroutants » de Dostoïevski, Thérèse est un « chaos vivant[1] », soumis au jeu de forces obscures.

Parmi ces forces obscures figure le mal : « Il n'y a pas, hélas ! que le Royaume de Dieu qui soit au-dedans de nous[2] ». Mais, pour Mauriac, ce royaume aussi est en nous. Le romancier a la conviction que le désordre de Thérèse tend à un ordre, qu'elle sortira un jour de sa nuit pour accéder à la Lumière.

■■■■■ CULPABILITÉ ET INNOCENCE

Thérèse « aspirée par le crime »

Thérèse a retrouvé d'instinct les gestes d'une sorcière pour perpétrer, sur la photographie de Jean, un véritable meurtre en effigie. Meurtre passionnel apparemment, né d'un mouvement de jalousie : Anne a trouvé le bonheur que Thérèse ne connaît pas. Le rôle que Thérèse joue ensuite entre Anne et Jean n'est pas moins criminel dans ses intentions : il s'agit de détruire encore, de briser la passion d'Anne, de la désespérer autant qu'elle désespère elle-même. Persévérante et impitoyable, elle accomplit cette tâche comme un devoir, au nom de la famille.

Quand, plus tard, elle tente d'empoisonner son mari, elle ne saurait invoquer de circonstances atténuantes. Sans doute n'a-t-elle pas prémédité le crime, mais elle en a

---

1. François Mauriac, *Le Roman*, 1928, chapitre VI.
2. *Le Roman*, chapitre IX.

poursuivi obstinément l'exécution, guidée par une volonté lucide. Le premier jour, lorsque Bernard, distrait, double sa dose d'arsenic, la seule responsabilité de Thérèse est de n'être pas intervenue. Mais son silence est déjà criminel : « L'acte qui [...] était déjà en elle à son insu, commença alors d'émerger du fond de son être, – informe encore, mais à demi baigné de conscience » (p. 81). Comme doué d'une volonté propre, cet acte désormais s'empare d'elle : « Elle s'est engouffrée dans le crime béant ; elle a été aspirée par le crime » (p. 82). Formules où la responsabilité de Thérèse est à la fois affirmée et niée ; sans doute est-elle coupable de s'être approchée du crime : on ne s'expose pas impunément au vertige. Mais le crime a une réalité extérieure à Thérèse ; il est un piège où elle se prend, un dieu mauvais qui fait d'elle sa proie.

Thérèse et Phèdre

Dans sa *Vie de Racine* (1928, un an après *Thérèse Desqueyroux*), Mauriac a consacré quelques pages remarquables au personnage de Phèdre[1]. Thérèse et Phèdre ont bien des points communs. Dans le visage que Mauriac prête à l'héroïne racinienne, dans « sa figure morte, ses lèvres sèches, ses yeux brûlés qui demandent grâce », nous reconnaissons Thérèse. L'une et l'autre sont de ces êtres « qui savent ne pouvoir rien attendre ni espérer, exilés de tout amour, sur une terre déserte, sous un ciel d'airain ». Parfois le souvenir de la tragédie est si fort qu'une phrase du roman de Mauriac fait entendre un vers de Racine : « Que lui dirait-elle ? Par quel aveu commencer ? » (p. 19) rappelle Phèdre devant sa confidente : « Ciel ! que lui vais-je dire, et par où commencer[2] ? »

Comme Phèdre, Thérèse mesure la difficulté d'un aveu nécessaire mais presque impossible, parce qu'aucun récit dans sa cohérence ne peut rendre compte de l'extrême

---

1. *Phèdre* : tragédie de Racine (1677). Épouse de Thésée, roi d'Athènes, Phèdre s'éprend d'Hippolyte, son beau-fils. Repoussée par lui et sous l'empire de la jalousie, elle accuse Hippolyte d'avoir tenté de lui faire violence et provoque ainsi la colère de Thésée et la mort d'Hippolyte.
2. *Phèdre*, acte I, scène 3.

confusion des pensées, des désirs, des souvenirs, des intentions qui peu à peu ont composé l'acte. Il est également impossible de trouver le commencement d'un acte ; il faudrait remonter jusqu'à l'enfance, « mais l'enfance est elle-même une fin, un aboutissement » (p. 21) : l'aboutissement de toute une hérédité. Son refus du « morne destin commun » (p. 68) répète celui de sa grand-mère maternelle, cette Julie Bellade « dont nul ne savait rien, sinon qu'elle était partie un jour » (p. 12).

Coupable et innocente

Soumise aux pressions de l'hérédité, Thérèse se sent entraînée par une force inconnue qui est en elle et qui lui fait horreur (p. 19). Elle est irrésistiblement poussée à commettre des actes qu'elle rejette et qu'elle ne comprend pas. Elle reste pourtant lucide et maîtresse d'elle-même, ne cède jamais à la colère, encore moins à la fureur : armée d'une méchanceté froide et précise, Thérèse, comme Phèdre, apparaît contradictoirement coupable et innocente. L'obsession presque délirante qu'elle ne peut maîtriser s'accorde avec la longue patience, la minutie, les ruses, la dissimulation parfaite dont elle fait preuve dans l'accomplissement de son dessein.

▬▬▬ L'ATTENTE DU PARDON

Au long de son voyage de B. à Argelouse, avant de se retrouver face à face avec sa victime, Thérèse prépare sa défense (p. 23) ; mais en présence de son mari, elle constate l'inutilité de ce plaidoyer : « rien à dire pour sa défense » (p. 86). En fait, cette « défense » a d'abord été dans son esprit une « confession » : « sa confession finie, Bernard la relèverait » (p. 20 ; et *cf.* p. 86, 96, 121).

Pardon ou absolution ?

Emprunté à « sa dévote amie Anne de la Trave » (p. 18), ce mot de « confession » se charge d'une signification chrétienne. Anne lui a décrit « cette délivrance après l'aveu », que Thérèse espère aujourd'hui obtenir par sa « confession ». L'aveu d'une faute permet d'espérer son pardon. Mais la confession d'un péché ouvre la voie à son absolution. Elle imagine que Bernard, après l'avoir écoutée, lui dira : « Lève-toi ; sois pardonnée » ou : « Va en paix, Thérèse » (p. 20). Paroles de prêtre qui absout plutôt que de mari qui pardonne. Dans son attente d'une délivrance, Thérèse serait-elle une chrétienne qui s'ignore ?

À plusieurs moments de son aventure, cette incroyante semble sur le point de rencontrer Dieu. Après le départ de Jean Azévédo, Thérèse, indifférente à tout et à tous, se prend soudain d'intérêt pour ce curé de Saint-Clair dont on parle autour d'elle sans bienveillance.

Thérèse s'interroge d'abord sur l'homme ; puis sur le prêtre et son étonnante vocation ; enfin sur le dieu qu'il sert. Tous les gestes de cet homme seul témoignent d'une invisible présence à ses côtés ; intriguée, Thérèse observe les objets humbles ou surprenants qui semblent matérialiser cette présence : ce « morceau de pain » (p. 77) sur lequel le prêtre se courbe pour une incompréhensible adoration, « cette chose étrange » (p. 79) qu'il porte des deux mains.

Thérèse à la messe

La peur du qu'en-dira-t-on – « on aurait crié à la conversion » (p. 77) – retient Thérèse d'assister aussi à la messe en semaine. Mais déjà, l'église de Saint-Clair a cessé d'être pour elle cet espace étroit, étouffant, où, le jour de son mariage, elle s'est sentie perdue. L'église est devenue le lieu où s'accomplit un mystère qu'elle ne comprend pas, mais qui l'arrête et peut-être l'attire.

Un drame nouveau se joue, entre Thérèse et Dieu. De sa place, isolée de l'assistance par un pilier qui la cache aux regards, Thérèse ne peut voir que le chœur de l'église ; en face d'elle, l'autel, et devant l'autel, le prêtre qui officie : « Cela seulement lui est ouvert, comme l'arène au taureau qui sort de la nuit : cet espace vide, où, entre deux enfants, un homme déguisé est debout, chuchotant, les bras un peu écartés » (p. 100). Lieu terrible où la créature doit affronter son dieu en un combat sans merci : Thérèse se sent acculée. Mais cet espace vide est aussi un espace de lumière au sortir de sa nuit ; et ce spectacle étrange est le seul moment de paix dans son existence désemparée. En la dispensant de la messe, Bernard la privera de sa dernière consolation.

La mort de tante Clara

La présence mystérieuse de Dieu, révélée par le prêtre, sensible dans l'église, se manifeste plus particulièrement encore dans le destin de Thérèse. À l'instant où le désespoir la décide au suicide, la mort de tante Clara suspend son geste et la rappelle à la vie : « Ce vieux corps fidèle [...] s'est couché sous ses pas au moment où elle allait se jeter dans la mort. Hasard ; coïncidence. Si on lui parlait d'une volonté particulière, elle hausserait les épaules » (p. 100).

Thérèse sans doute n'est pas prête à admettre une intervention surnaturelle ; mais Mauriac nous invite à penser que ce pourrait en être une et que tante Clara, en mourant à la place de sa nièce, a été l'instrument de la pitié divine. Dieu s'est servi d'elle pour exaucer la prière qui est venue aux lèvres de Thérèse : « Qu'Il détourne la main criminelle avant que ce soit trop tard » (p. 99).

Il n'y a sans doute pas plus de « hasard » dans la mort de tante Clara que dans la nouvelle vie que commence Thérèse à la dernière page du roman. Celui-ci, pourtant, s'achève sur ce mot – « Thérèse [...] marcha au hasard » (p. 128) – parce que le romancier ne peut, sans usurper la place de Dieu et nier la liberté de Sa créature, prétendre disposer de Sa Grâce.

11 L'écriture romanesque de Mauriac

▬▬▬ DE L'IRONIE AU LYRISME

Dans la mesure où *Thérèse Desqueyroux* se présente comme une critique de mœurs, il est naturel que l'ironie y domine. Elle donne le ton de la peinture des personnages grotesques. Bernard, par exemple, est campé en « campagnard ridicule » ; nous le voyons dicter avec emphase le verdict familial, selon des « phrases préparées avec soin » (p. 89, 90), en s'aidant d'un papier qu'il tire de sa poche. Voici la famille, avec ses sottes curiosités : « Ils s'entretenaient beaucoup du curé [...] On se demandait, par exemple, pourquoi il avait traversé quatre fois la place dans la journée, et chaque fois il avait dû rentrer par un autre chemin » (p. 76). Voici le bourg avec ses « ragots » (p. 64), « impatient de savourer » (p. 94) la honte des Desqueyroux.

Mais la gravité a sa part, dès que le regard se porte sur Thérèse : « Au fond de cette calèche cahotante, sur cette route frayée dans l'épaisseur obscure des pins, une jeune femme démasquée caresse doucement avec la main droite sa face de brûlée vive » (p. 17). Le romancier a du respect pour son personnage, parfois de la compassion. Parfois encore il s'adresse à elle, avec une sorte de tendresse qu'exprime le tutoiement : « Je me souviens d'avoir aperçu, dans une salle étouffante des assises [...] ta petite figure blanche et sans lèvres » (p. 7). La fascination qu'exerce sur l'écrivain l'être qu'il a créé s'exalte alors, dans le prologue, en un mouvement lyrique : « Que de fois ai-je admiré, sur ton front vaste et beau, ta main un peu trop grande ! Que de fois, à travers les barreaux vivants d'une famille, t'ai-je vue tourner en rond, à pas de louve... » (p. 7).

■■■■■ DIVERSITÉ ET INTENSITÉ

Le jeu des temps

L'emploi du présent, par sa fréquence et son intrusion soudaine dans un récit au passé, accentue la dramatisation. Il est évidemment naturel quand il s'agit d'une citation : « Bernard lui avait crié depuis le jardin : "N'allume pas à cause des moustiques" » (p. 53), ou quand, dans les huit premiers chapitres, la remémoration implique un changement de plan temporel : « Thérèse se souvient de cette scène […] Un feu de bois éclairait la chambre » (p. 84). Il est plus surprenant et met en valeur l'événement quand il succède brusquement à un temps du passé : « Elle allait dire […] Et déjà Thérèse ouvre la bouche ; elle dit » (p. 89) ; « Thérèse fit un effort pour se lever […] Elle ferme les yeux » (p. 116) ; ou quand il détache une action sur un fond de récit au passé : « Thérèse se lève […] La fenêtre était ouverte […] Thérèse n'est pas assurée du néant » (p. 99) ; « Elle se lève à demi […] Bernard aida la tante à grimper dans la carriole » (p. 87).

L'imparfait de répétition domine dans l'évocation des années d'adolescence comme dans le récit de la séquestration : « En septembre, elles pouvaient sortir après la collation » (p. 28) ; « Les nuits troublées de l'équinoxe l'endormaient mieux que les nuits calmes » (p. 102). Traduisant des actions habituelles et répétées, il concentre en quelques pages de longues périodes de temps. Ces résumés (ces « sommaires ») alternent avec les récits d'actions ou d'événements uniques, exprimés avec les temps usuels de la narration, passé simple, imparfait marquant la durée, imparfait ou présent historiques.

Une tension continue

Ces effets de dramatisation ou de concentration, par leur fréquence, assurent une tension continue à ce roman d'à peine plus de cent vingt pages. Rien ne vient longtemps interrompre l'action : les scènes dialoguées sont brèves et, à l'exception du premier paragraphe du chapitre III, le roman ignore les pauses descriptives. Les quatre-vingt-dix premières pages sont commandées par une interrogation anxieuse et urgente : Thérèse se penche « sur sa propre énigme » (p. 47). « Tu ferais aussi bien de dormir » (p. 73), conseille le romancier à son personnage (ou Thérèse à elle-même) ; mais Thérèse n'a pas le loisir de dormir. Le temps lui manque pour trouver la réponse au « pourquoi » de son acte. Après le « trop tard » (p. 96) du chapitre X, voici Thérèse précipitée à nouveau, vers la mort cette fois ou vers les songes vains, vers sa ruine physique et morale.

■■■■■ L'ART DE LA SUGGESTION : LES PORTRAITS

Ébauches et esquisses

Mauriac ne dépeint guère ses personnages. Parfois, il ébauche une silhouette, ainsi M. Larroque, « petit homme aux courtes jambes arquées » (p. 10), gesticulant au milieu de la route « dans le feu de la discussion » (p. 11) ; ou il dessine un croquis féroce, ainsi le fils Deguilhem : ses « yeux de pie » (p. 113), « ce crâne [...], ces moustaches de gendarme [...] ces épaules tombantes [...] cette jaquette [...] ces petites cuisses grasses sous un pantalon rayé gris et noir » (p. 114).

Plus souvent, le romancier se contente de relever quelques traits qui singularisent une physionomie : de « gros yeux » (p. 117), « de trop grosses joues » (p. 62), une « oreille trop grande » (p. 98), des « cheveux trop tirés » (p. 76) (Bernard, Jean, Marie, Anne) ; un « large front » (p. 17), un « haut front » (p. 76) (Thérèse, le curé). Il remarque les mains : les « ongles mal tenus » (p. 90) de Bernard, les « durs ongles noirs » (p. 15) de l'avocat, la « main toute jaunie de nicotine » (p. 107) de Thérèse.

Il est sensible au timbre des voix : « fausset » (p. 11) de Jérôme Larroque, « voix affreuse de sourde » (p. 59) de tante Clara, « affreux accent » (p. 75) de Bernard, « inflexions basses et rauques » (p. 124) de Thérèse. Il note le « ton de bravade et de moquerie » (p. 90) de Thérèse, le « ton pompeux » (p. 91) de Bernard, son ricanement ou sa gouaille (p. 123), sa manière de s'esclaffer (p. 68).

Ces indications restent fugitives, dispersées, jamais regroupées en portraits à la manière de ceux de Balzac. Moins curieux de l'apparence physique de ses personnages que du secret de leur cœur, Mauriac ne dessine que ce qui peut révéler un caractère : attitudes du corps, inflexions d'une voix, expression d'un visage ou d'un regard.

Des répliques qui démasquent

Nos paroles aussi nous dénoncent. Il y a dans *Thérèse Desqueyroux* des répliques qui démasquent un être. Le « tout est bien qui finit bien » (p. 15) de l'avocat Duros, le « Je l'ai échappé belle » (p. 82) du docteur Pédemay, disent leur soulagement d'avoir évité la concurrence d'un confrère bordelais. Lorsque Bernard, au restaurant, s'écrie : « Il ne faut pas leur en laisser : au prix que ça coûte, ce serait dommage » (p. 42), il affiche naïvement son souci de la dépense, son attention à l'argent. Les proverbes et les lieux communs chers à M. de la Trave ou au fils Deguilhem – « On ne fait pas d'omelette sans casser des œufs » (p. 48), « Il y a toujours tant de choses à faire dans une maison » (p. 115) – trahissent la médiocrité de ceux à qui ils tiennent lieu de pensée. Et les beaux discours de Jean Azévédo ne font guère illusion : ils offrent seulement une autre variété de clichés.

■■■■■■ L'ART DE LA SUGGESTION : PAYSAGES ET DÉCORS

Pas plus de décors minutieusement dessinés que de portraits des personnages. Les lieux où ils vivent restent imprécis.

Nous pénétrons avec eux dans des maisons, nous entrons dans un salon, nous montons à l'étage des chambres ou jusqu'au grenier ; nous sommes avec Thérèse dans une salle de restaurant, dans une chambre d'hôtel, dans une calèche, dans un compartiment de chemin de fer, dans une carriole ; nous nous promenons dans des champs, dans des bois,

nous voyons passer des troupeaux. Mais nous ne connaî-
trons pas le plan de ces maisons, ni la disposition de ces
chambres, ni la composition de leur mobilier, ni leur décora-
tion. Nous ne pourrions dessiner l'attelage de Gardère, ni
celui de Balion, ni le wagon du petit train. Mauriac ne décrit
pas davantage la campagne landaise, pas même la forêt qui
cerne Argelouse.

Brèves images

Le romancier ne peint pas. Mais il suggère. Il ne compose
pas de vastes tableaux mais esquisse de brèves images ; il
note sans s'attarder quelques impressions, relève quelques
détails un instant entrevus ; ce qu'éclairent dans la nuit les
lanternes d'une voiture en marche, ou une lampe devant une
gare : des « talus, une frange de fougères, la base des pins
géants » (p. 16), un « mur crépi [...] une carriole arrêtée »
(p. 19).

De quelques promenades, nous retenons la fraîcheur des
eaux de source pendant l'été torride ; à l'automne, la fumée
des herbes brûlées et, dans le champ d'Argelouse, les tiges
coupées du seigle, qui blessent les pieds ; les troupeaux de
brebis courant sous les chênes, ou coulant par la brèche d'un
talus, « comme du lait sale » (p. 65). Du voyage de Thérèse,
nous retenons les mugissements et les bêlements qui viennent d'un train garé dans la nuit, ou ces deux métayères qui,
dans une salle d'attente, tricotent « assises, un panier sur les
genoux et branlant la tête » (p. 19).

Peu de formes précises ou même de couleurs. Des mouvements plutôt, des bruits, et des sensations tactiles : de
chaleur, de froid, de contact ; des odeurs surtout : de maré-
cage, de résine, de fumée, de menthe, de brume, de cuir, de
fleurs ou de tabac. De ces impressions fugitives mais puis-
santes dans leur brièveté, naît peu à peu une sensation
d'intense présence. Au parfum de la résine, nous devinons
dans la nuit la masse des pins. Dans le silence d'Argelouse,
l'aboiement d'un chien, une cloche qui sonne, le cri d'un
oiseau restituent la vie.

Le monde est là autour, tout proche, qui sollicite tous les
sens. Et ce monde n'est pas un simple décor devant lequel
se détacheraient les personnages. Il est au contraire lié à

eux, de mille liens charnels, et d'autres aussi, plus subtils et plus mystérieux qui forment entre lui et eux un fin réseau de correspondances.

Le bestiaire

Mauriac souligne l'étroite affinité qui rapproche l'homme de l'animal. Au saut du lit, Bernard file « comme un chien à la cuisine » (p. 56). Tante Clara s'est accroupie au pied de l'escalier – comme un « vieux chien contre le lit de son maître qui agonise » (p. 95). Thérèse est une « bête tapie qui entend se rapprocher la meute » (p. 84), ou une « guêpe sombre » (p. 51) qui va et vient de la lumière à l'ombre. La bonne de Marie ronfle « comme une bête grogne » (p. 98). Ainsi se constitue un bestiaire, qui nous rappelle d'abord que le comportement de l'homme reste profondément animal et obéit à des instincts primitifs et violents. Mais ce bestiaire est plus particulièrement celui des animaux traqués ou pris, parqués, enfermés ; il dit l'angoisse du « gibier » (p. 17, 102) que guette le chasseur ou le juge. Aux bêtes rétives que ne plie pas le « collier de force » (p. 111), toutes les violences sont promises. Tous les supplices sont réservés à Thérèse que Bernard n'a « pas su apprivoiser » (p. 118) : « brûlée vive », asphyxiée, broyée par la « mécanique familiale » (p. 96), noyée enfin dans la foule, immergée « au plus profond de Paris » (p. 118).

◼◼◼◼◼ UN ROMAN POÉTIQUE

Les premiers mots de *Thérèse Desqueyroux* sont empruntés à Baudelaire : « Seigneur, ayez pitié des fous et des folles[1] ! » (p. 5). Plus loin le texte, citant Rimbaud, évoque le « désert de bitume[2] » (p. 45). Le roman de Mauriac est moins un roman réaliste – histoire d'un crime, chronique des mœurs provinciales, peinture d'un terroir – qu'un roman poétique. Son langage métaphorique, le constant recours à l'analogie suggèrent l'intime liaison de l'homme et du monde.

---

1. Baudelaire, *Petits Poèmes en prose, Mademoiselle Bistouri.*
2. Rimbaud, *Illuminations, Métropolitain.*

Ils font reconnaître, dans les errances d'une vie, un destin qui se joue sur un autre plan, au-delà des étroites limites humaines.

Thérèse Desqueyroux est un roman de l'attente. Attente d'un peu de fraîcheur dans les journées torrides ; attente du sommeil quand l'insomnie condamne à veiller ; attente d'une délivrance quand tenaille la douleur ou l'angoisse ; attente d'une rencontre, d'une parole, d'un geste qui apaisent et qui réconfortent.

Attente de Dieu. La mesquinerie ou l'horreur des actes et des pensées, l'étroitesse de la vie et ses souffrances semblent rendre nécessaire et, d'une certaine façon, manifestent un infini de pureté, de beauté, d'amour qui seul peut combler cette attente. Commentant le film qu'en 1962 Georges Franju tira du roman[1], François Mauriac rappelle avec force : « *Thérèse Desqueyroux* n'est sans doute pas un roman chrétien, mais c'est un roman de chrétien, que seul un chrétien pouvait écrire [...] Thérèse meurt de soif auprès de la fontaine, je le marque en traits nets, et le curé de Saint-Clair n'est là, si peu qu'il paraisse, que pour le faire entendre[2]. »

▬▬▬▬ UN ROMAN INACHEVÉ ?

On peut considérer qu'à la dernière page de *Thérèse Desqueyroux*, l'aventure de Thérèse n'a pas encore vraiment commencé. Derrière elle, un assassinat sans victime, un acte manqué. Mais devant elle ? Si Thérèse est réellement libre maintenant, et libre de devenir elle-même, que fera-t-elle de cette liberté, quelle Thérèse va-t-elle être ?

Le roman semble appeler une suite ; voilà pourquoi, sans doute, Mauriac est sans cesse revenu à son personnage dans les années qui suivirent la publication de *Thérèse Desqueyroux*. Ainsi s'est constitué tout un cycle consacré à Thérèse. Dans un chapitre de *Ce qui était perdu* (1930), dans deux nouvelles de 1933, *Thérèse chez le docteur* et *Thérèse*

---

1. *Thérèse Desqueyroux*, film de Georges Franju, 1962. Scénario de Georges Franju, François Mauriac et Claude Mauriac. Avec Emmanuelle Riva (Thérèse) et Philippe Noiret (Bernard).
2. François Mauriac, *Le Nouveau Bloc-notes*, 6 septembre 1962.

à l'hôtel, enfin en 1935 dans *La Fin de la nuit*, nous retrouvons Thérèse quelques années, puis dix ans, quinze ans enfin après l'instruction de son procès ; nous la suivons, quelques instants ou quelques semaines, dans sa vie de désordres et de souffrances, nous la voyons revenir à Argelouse et y mourir.

Il serait faux pourtant de regarder *Thérèse Desqueyroux* comme un roman inachevé. Il contient en fait la totalité de ce qu'il veut peindre : l'affrontement sans issue de deux êtres qui se sont liés sans amour. Il est plus juste de dire qu'il est le roman de l'inachevé. La comparaison avec *L'Étranger* de Camus est éclairante. Meursault[1] a tué, il est jugé, il va être exécuté : nous sommes dans le monde des actes définitifs, des gestes qui tuent et des sentences qui condamnent. *Thérèse Desqueyroux* est le roman des gestes vains, des actes et des pensées toujours révocables, susceptibles d'amendement et de pardon.

À la dernière phrase du roman, commence l'errance de Thérèse. Mais le romancier conserve l'espérance qu'elle n'est pas seule (p. 8) et que viendra pour elle, selon le titre du dernier roman qui lui est consacré, « La Fin de la nuit ».

---

1. *Meursault* : personnage principal de *L'Étranger* (1942).

QUELQUES CITATIONS

Sur l'amour
- « Rien n'est vraiment grave pour les êtres incapables d'aimer » (p. 92, chap. IX).
- « Un baiser, songe-t-elle, doit arrêter le temps ; elle imagine qu'il existe dans l'amour des secondes infinies. Elle l'imagine ; elle ne le saura jamais » (p. 108, chap. XI).

Sur le destin
- « Où est le commencement de nos actes ? Notre destin, quand nous voulons l'isoler, ressemble à ces plantes qu'il est impossible d'arracher avec toutes leurs racines » (p. 21, chap. II).

Sur la famille
- « cette cage aux barreaux innombrables et vivants, cette cage tapissée d'oreilles et d'yeux, où, immobile, accroupie, le menton aux genoux, les bras entourant ses jambes, elle attendrait de mourir » (p. 43, chap. IV).

Sur la place dans la société
- « elle avait hâte d'avoir pris son rang, trouvé sa place définitive » (p. 31, chap. III).
- « Cette femme [...], qu'il n'entendait même plus respirer, gisait enfin : elle avait trouvé sa vraie place » (p. 94, chap. IX).

Sur le silence
- « le silence : il cerne la maison, comme solidifié dans cette masse épaisse de forêt où rien ne vit, hors parfois une chouette hululante (nous croyons entendre, dans la nuit, le sanglot que nous retenions) » (p. 70, chap. VII).
- « Elle découvrait que le silence d'Argelouse n'existe pas. Par les temps les plus calmes, la forêt se plaint comme on pleure sur soi-même, se berce, s'endort et les nuits ne sont qu'un indéfini chuchotement » (p. 119, chap. XII).

Sur la solitude
- « l'abîme qui te sépare des autres » (p. 41, chap. IV).
- « sa solitude lui est attachée plus étroitement qu'au lépreux son ulcère » (p. 87, chap. IX).

ÉLÉMENTS DE BIBLIOGRAPHIE

Le texte du roman

– François Mauriac, *Thérèse Desqueyroux* (Livre de Poche, Paris, 1989, nouvelle édition revue et corrigée, préface et commentaires de Jean Touzot). Notice bibliographique p.166 à 168.

– François Mauriac, *Œuvres romanesques et théâtrales complètes* (Paris, Gallimard/Pléiade, 1978-1985). On y trouvera l'ensemble des romans et nouvelles où paraît Thérèse Desqueyroux. Au tome II, *Conscience, Instinct divin, Thérèse Desqueyroux* et *Ce qui était perdu*. Au tome III, *Thérèse chez le docteur, Thérèse à l'hôtel* et *La Fin de la nuit*. Importante préface de Jacques Petit au tome I. Au tome II, un essai de Mauriac : *Le Romancier et ses personnages* (1933).

Essais sur *Thérèse Desqueyroux*

– Véronique Anglard, *Thérèse Desqueyroux* (Paris, PUF/Études littéraires, 1992).
– André Joubert, *François Mauriac et « Thérèse Desqueyroux »*, (Paris, Nizet, 1982).

Essais sur l'œuvre de Mauriac

– André Séailles, *Mauriac* (Paris, Bordas, coll. « Présence littéraire », n° 814, 1972).
– Michel Suffran, *François Mauriac* (Paris, Seghers, coll. « Écrivains d'hier et d'aujourd'hui », 1973).
– Jean Touzot, *La Planète Mauriac* (Paris, Klincksieck, coll. « Bibliothèque du xxe siècle », 1985).

INDEX DES THÈMES
ET DES NOTIONS

LITTÉRATURE

FORMATION

Imprimé en France par l'Imprimerie Hérissey - 27000 Évreux
Dépôt légal : 15356 - Mars 1996 - Nº d'impression : 72621